Das Buch
Marc-Uwe lebt mit einem Känguru zusammen. Das Känguru ist Kommunist und steht total auf Nirvana. Marc-Uwe ist ein Kleinkünstler, der nicht Kleinkünstler genannt werden möchte. Eine klassische Kreuzberger Wohngemeinschaft, in der die großen Fragen ausdiskutiert werden: Ist das Liegen in einer Hängematte schon passiver Widerstand? Könnte man die Essenz des Hegel'schen Gesamtwerkes in eine SMS packen? War das Känguru wirklich beim Vietcong? Wieso ist es schnapspralinensüchtig? Und wer ist besser – Bud Spencer oder Terence Hill?

»In Sachen Satire womöglich das Beste, was der deutschsprachige Büchermarkt derzeit zu bieten hat.«

Basler Zeitung

»Kling schreibt feinsinnig überspitzt und radikal direkt.«

Deutschlandradio Kultur

»Eines der zugleich tiefsinnigsten und lustigsten Bücher seit langem.«

Süddeutsche Zeitung

Der Autor
Marc-Uwe Kling singt Lieder und erzählt Geschichten. Sein Geschäftsmodell ist es, kapitalismuskritische Bücher zu schreiben, die sich total gut verkaufen. Seine Känguru-Geschichten wurden 2010 mit dem Deutschen Radiopreis und 2013 mit dem Deutschen Hörbuchpreis ausgezeichnet.

Aktuelle Auftrittstermine und Neuigkeiten unter:
www.marcuwekling.de

Von Marc-Uwe Kling sind in unserem Hause erschienen:
Die Känguru-Chroniken
Das Känguru-Manifest
Die Känguru-Offenbarung

Marc-Uwe Kling

DiE KÄNGURU-
CHRONiKEN

Ansichten eines
vorlauten Beuteltieres

Ullstein

Besuchen Sie uns im Internet:
www.ullstein-taschenbuch.de

Originalausgabe im Ullstein Taschenbuch
1. Auflage April 2009
21. aktualisierte und überarbeitete Auflage 2013
36. Auflage 2017
© Ullstein Buchverlage GmbH, Berlin 2009
Umschlaggestaltung: HildenDesign, München
Titelabbildung: © Marc-Uwe Kling
Satz: KompetenzCenter, Mönchengladbach
Druck und Bindearbeiten: CPI books GmbH, Leck
ISBN 978-3-548-37257-0

»Wer mit einem Känguru befreundet ist,
hat wahrscheinlich auch eine Giraffe als Nachbarn.
Oder war's ein Pinguin?
Äh, Moment … Wie ging des noch mal?
Ach verdammt.
Ich kann mir diese Sprüche immer
so schlecht merken.«

Oscar Wilde

WAS BISHER GESCHAH:

NiCHTS.

DAS KÄNGURU VON GEGENÜBER

Ding Dong. Es klingelt. Ich gehe zur Tür, öffne und stehe einem Känguru gegenüber. Ich blinzle, kucke hinter mich, schaue die Treppe runter, dann die Treppe rauf. Kucke geradeaus. Das Känguru ist immer noch da.

»Hallo«, sagt das Känguru.

Ohne den Kopf zu bewegen, kucke ich noch mal nach links, nach rechts, auf die Uhr und zum Schluss auf das Känguru.

»Hallo«, sage ich.

»Ich bin gerade gegenüber eingezogen, wollte mir Eierkuchen backen, und da ist mir aufgefallen, dass ich vergessen habe, Eier zu kaufen …«

Ich nicke, gehe in die Küche und komme mit zwei Eiern zurück.

»Vielen lieben Dank«, sagt das Känguru und steckt die Eier in seinen Beutel.

Ich nicke, und es verschwindet hinter der gegenüberliegenden Wohnungstür. Mit meinem linken Zeigefinger tippe ich mir mehrmals auf meine Nasenspitze – und schließe die Tür.

Bald darauf klingelt es wieder. Sofort reiße ich die Tür auf, denn ich stehe immer noch dahinter.

»Oh!«, sagt das Känguru überrascht. »Das ging aber schnell. Äh … Gerade ist mir aufgefallen, dass ich auch noch kein Salz habe …«

11

Ich nicke, gehe in die Küche und komme mit einem Salzstreuer wieder.

»Vielen Dank! Wenn Sie vielleicht noch ein wenig Milch und Mehl hätten …«

Ich nicke und gehe in die Küche. Das Känguru nimmt alles, bedankt sich und geht. Zwei Minuten später klingelt es wieder. Ich öffne und halte dem Känguru Pfanne und Öl hin.

»Danke«, sagt das Känguru, »gut mitgedacht! Wenn Sie vielleicht noch einen Schneebesen hätten oder ein Rührgerät …«

Ich nicke und gehe los.

»Und vielleicht eine Schüssel zum Mixen?«, ruft mir das Känguru hinterher.

Zehn Minuten später klingelt es wieder.

»Kein Herd …«, sagt das Känguru nur.

Ich nicke und gebe den Weg frei.

»Gleich rechts«, sage ich.

Das Känguru geht in die Küche, und ich folge ihm. Es stellt sich so ungeschickt an, dass ich die Pfanne übernehme.

»Wenn Sie vielleicht noch etwas zum Füllen hätten …«, sagt das Känguru. »Buntes Gemüse oder gar Hackfleisch?«

»Hackfleisch müsste ich erst kaufen«, sage ich.

»Kein Problem. Ich hab Zeit«, sagt das Känguru. »Es ist eh besser, wenn der Teig noch etwas Luft bekommt.«

Ich nehme den Schlüssel vom Haken.

»Aber nicht zu Lidl!«, ruft mir das Känguru hinterher. »Die Arbeitsbedingungen da sind unter …«

Ich gehe also zum Metzger und kaufe Hackfleisch. Als ich wieder ins Haus komme, begegnet mir die Nachbarin von unten.

»Ham Se den Neuen jesehen?«, fragt sie.

Ich nicke.

»Na, der ist ja wohl och nich von hier, wa?«, fragt sie und kratzt sich an ihrem Hitlerbärtchen. Natürlich hat sie nicht wirklich einen Bart. Es ist eher ein Flaum. Ein Hitlerfläumchen. »Bald übanehm die verdammten Türken dit janze Haus.« Ich schaue noch mal genauer hin. Hm. Vielleicht ist es doch ein Bärtchen.

»Wat kieken Se denn so?«, fragt sie.

»Ich glaube, es kommt aus Australien«, sage ich.

»Hm. Australien sag'n Se. Kann och sein. Aba ejal woher. Dieser Islam macht mir jedenfalls janz narvös.«

KLEINKUNST

Poch Poch. Es klopft. Wer mag das sein zu dieser Zeit? Ich gehe zur Tür und öffne.

»Ah. Sie sind's«, sage ich.

»Hallo«, sagt das Känguru. »Darf ich reinkommen?«

»Bitte«, sage ich.

Es hüpft an mir vorbei ins Wohnzimmer.

»Mögen Sie Nirvana?«, fragt es und fläzt sich in den Sessel.

»Die Band?«, frage ich und lasse mich aufs Sofa fallen.

»Nein, das Jenseits!«, sagt es. »Natürlich die Band! Sie stellen wohl gern unnötige Fragen ...«

»Ja.«

»Was ja? Sie mögen Nirvana oder Sie stellen gern unnötige Fragen?«

»Beides«, sage ich. »Ich lebe nach der Devise: Lieber fünf Mal nachgefragt als ein Mal nachgedacht. Und ›Nevermind‹ war damals die erste Platte, die ich mir selbst im Laden gekauft habe.«

»Wirklich?«, fragt das Känguru.

»Nein. In Wahrheit war es ›Hier kommt Kurt‹ von Frank Zander.«

»Ohne Helm und ohne Gurt. Einfach Kurt?«, fragt das Känguru.

»Ja«, sage ich. »Einfach Kurt. Aber ich wünschte, es wäre ›Nevermind‹ gewesen.«

»Sehen Sie mal, was ich zufällig dabeihabe«, sagt das Känguru und zieht eine ziemlich blaue Schallplatte aus seinem Beutel. »Hätten Sie was dagegen, wenn ich die mal auflege? Ich hab nämlich zu Hause meine Anlage noch nicht angeschlossen und ...«

Ich nicke und deute auf den Plattenspieler.

Here we are now – entertain us ...

»Darf ich fragen, was Sie beruflich machen?«, setzt das Känguru unser Gespräch fort.

»Wieso?«, frage ich.

»Na, Sie sind tagsüber immer zu Hause und – ohne Ihnen jetzt zu nahe treten zu wollen – es ist 13 Uhr, und Sie sind immer noch im Pyjama.«

»Ich bin, äh, na ja, äh, irgendwie, äh, Künstler«, sage ich. »Ich arbeite nachts.«

»Anschaffender Künstler?«, fragt das Känguru.

»Freischaffend heißt das.«

»Ach so.«

»Ich schreibe Geschichten und Lieder, und dann trete ich auf und ...«

»Ach! Sie sind Kleinkünstler!«, ruft das Känguru.

Ich zucke zusammen: »Ah! Das böse Wort.«

»Kleinkünstler?« Wieder zucke ich zusammen.

»Kennen Sie das Tocotronic-Lied: ›Ich verabscheue euch wegen eurer Kleinkunst zutiefst‹?«, fragt das Känguru.

»Ja«, sage ich. »Mag ich nich.«

»Verstehe.«

»Und Sie?«, frage ich. »Was machen Sie?«

»Ich bin Kommunist«, sagt das Känguru.

»Ach so.«

»Was dagegen?«

»Nee, nee.«

Das Känguru blickt mich herausfordernd an.

»Trotzki?«, frage ich.

»Ho Chi Minh«, sagt das Känguru.

Es deutet auf die Packung auf dem Tisch.

»Was ist denn das?«

»Schnapspralinen«, sage ich.

»Darf ich?«

»Bitte. Mag ich sowieso nicht.«

Es wirft sich zwei Pralinen in den Mund.

»Köstlich!«, ruft es. »Auch welche?«

»Nee. Mag ich nicht. Haben Sie nicht zugehört?«

»Offensichtlich nicht«, sagt das Känguru. »Denken Sie nicht mit?«

»Nein. Nie«, sage ich. »Ich lebe nach der Devise: Lieber fünf Mal nachgefragt als ein Mal nachgedacht. Haben Sie nicht zugehört?«

»Offensichtlich nicht«, sagt das Känguru. »Denken Sie nicht mit?«

»Nein. Nie«, sage ich. »Ich lebe nach der Devise: Lieber fünf Mal nachgefragt als ein Mal nachgedacht. Haben Sie nicht zugehört?«

»Offensichtlich nicht«, sagt das Känguru. »Denken Sie nicht mit?«

»Wir sind gefangen in einer Endlos-Schleife«, sage ich.

»Ja, ja«, sagt das Känguru.

Es nimmt sich noch eine Praline.

»Kleinkünstler also …«, sagt es und lacht kurz auf. »Hier sind wir jetzt – unterhalte uns!«

»Machen Sie das öfter?«, frage ich.

»Sie meinen: Zitieren?«

»Ja.«

»Wollen wir uns duzen?«, fragt das Känguru.

»Von mir aus«, sage ich.

»Ich glaube, dies ist der Beginn einer wunderbaren Freundschaft.«

TÜTENSUPPEN-TOTALITARISMUS

Das Känguru hat mich für neun Uhr zum Essen eingeladen. Vielleicht will es sich dafür revanchieren, dass es meinen Kühlschrank geplündert hat, vielleicht hofft es auf eine Plakette für eine vorbildliche sozialistische Hausgemeinschaft. Als ich um fünf nach neun zur Tür reinkomme, hat das Känguru schon angefangen zu essen.

»Du bist spät«, sagt es mit vollem Mund.

»Ich mag alles außer Fisch«, hatte ich gesagt, als es mich eingeladen hat.

Es gibt Fischstäbchen.

»Ich ess keinen Fisch«, sage ich.

»Kannste ruhig essen«, sagt das Känguru. »Is eh Hähnchen.«

»Was?«, frage ich.

»Is alles Hähnchen«, sagt das Känguru. »Fischmac, Schweineschnitzel, Rindergulasch: alles Hähnchen.«

»Alles Hähnchen?«, frage ich.

»Ja, außer Chicken Nuggets«, sagt das Känguru.

»Chicken Nuggets?«

Ich muss unbedingt damit aufhören, immer nur stupide die letzten Worte des Kängurus zu wiederholen.

»Chicken Nuggets sind panierter Tofu«, sagt das Känguru.

»Panierter Tofu?«, frage ich. Verdammt.

»Jetzt setz dich und iss dein Geflügel, Junge«, sagt das Känguru.

»Wen hast'n gewählt?«, frage ich beim Essen. Es hatte gerade eine Wahl für irgendwas stattgefunden.

»Ich hab nicht gewählt«, sagt das Känguru.

»Darfste nicht?«, frage ich.

»Ich darf nicht und ich will nicht«, sagt das Känguru.

»Du willst nicht?«, frage ich.

»Ja. Weil das gar keine Wahl ist«, sagt das Känguru. »Das ist nämlich nur ein Demokratietrugbild, eine Abstimmungsattrappe, eine Volksherrschafts-Fata-Morgana. Kurz gesagt: nur der Schein einer Wahl, oder, um den offiziellen Terminus zu verwenden: ein Wahlschein.«

»Ein Wahlschein?«, frage ich.

»Das ist, als ob du in den Supermarkt gehst und da wählen kannst zwischen der Tütensuppe von Maggi und der Tütensuppe von Knorr, aber in Wirklichkeit ist alles Nestlé. Der Wahlschein suggeriert Freiheit, aber in Wirklichkeit sage ich dir: Alles Kapitalismus, alles Nestlé, alles Hähnchen. Da ich nun aber generell keine Tütensuppe essen will, ist mir die Markenwahl im Supermarkt eben schnurzpiepe.«

»Schnurzpiepe?«, frage ich. »Wie meinst'n das?«

»Hast du 'nen Defekt?«, ruft das Känguru. »Plapperste immer alles nach? Auch was die Herolde des Tütensuppen-Totalitarismus auf allen Frequenzen verkünden: ›Tütensuppen sind alternativlos! Esst mehr Tütensuppen! Tütensuppen sind alternativlos!‹ Das ist so eklig.«

»Hm. Weißte, was echt eklig ist?«, frage ich und halte ein labberiges Fischstäbchen in die Höhe. »Das hier.«

»Ach was«, sagt das Känguru pampig. »Damals beim Vietcong haben wir das jeden Tag gegessen. Nur ohne Panade.«

Ich blicke es fragend an.

»Und ohne Füllung.«

»Vietcong?«, frage ich.

»Tjaaaaaa ...«, sagt das Känguru vielsagend. Beziehungsweise wenig sagend. Es sagt quasi alles und nichts zugleich. Allerdings eher nichts.

Lustlos stochere ich mit der Gabel in meinem Fischstäbchen herum.

»Wenn's dir nicht schmeckt, kannst du ja das nächste Mal wieder kochen«, sagt das Känguru.

»Das nächste Mal?«, frage ich. »Ich glaub, ich koch lieber jedes Mal.«

Und noch während ich diese Worte spreche und sehe, wie ein flüchtiges Lächeln über das Gesicht des Kängurus huscht, beschleicht mich das Gefühl, dass genau dies auch der Sinn des Manövers war.

69 CENT PRO MINUTE

»Manchmal wundere ich mich, dass es immer noch Organisationen und Konzerne gibt, die meine Adresse nicht haben …«, sage ich kopfschüttelnd zum Känguru, während wir für ein Gewinnspiel einer Augenlaserklinik ein Formular ausfüllen. »Ich habe nämlich das Gefühl, meine Adresse schon jeder Firma auf der Welt persönlich auf einen Zettel geschrieben zu haben.«

»Ja, ja«, sagt das Känguru, füllt das Feld mit seiner Telefonnummer aus, öffnet dahinter eine Klammer und schreibt hinein: 69 Cent pro Minute.

»Was soll das denn?«, frage ich.

»Hab mir 'ne neue Nummer besorgt«, sagt das Känguru. »Hab letztens so 'nem Typen von 'ner Bank 'ne halbe Stunde am Telefon zugehört. Der meinte, ich müsse jetzt schon an meine Altersvorsorge denken, Zeit sei kostbar, und da dachte ich: Der Mann hat völlig recht. Meine Zeit ist viel zu kostbar, um mir für umme so 'nen Quatsch anzuhören.«

»Und jetzt hast du dir 'ne 0900-Nummer besorgt?«, frage ich.

»So isses.«

»Das heißt, jedes Mal, wenn dich jetzt so 'ne Bank, so ein Marktforschungsinstitut oder die Zeugen Jehovas anrufen, verdienst du dir deine Altersvorsorge?«

»Ruf mich mal an«, sagt das Känguru.

»Nee«, sage ich lachend. »Ist mir zu teuer.«

»Doch, jetzt mach mal. Ich will dir was zeigen.«

»Jahaa! Du willst mir zeigen, wie schwuppdiwupp zwei Euro von meinem Konto auf deines wandern, nur damit ich mit dir reden darf.«

»Nee. Was anderes. Pionierehrenwort! Jetzt ruf mal an.«

Tuut. Tuut. Krk. »Bitte haben Sie noch einen Augenblick Geduld.« Krk.

»Hörst du schon was?«, fragt das Känguru.

»Ja«, sage ich. »Eine Midi-Pop-Version von *Wasted Time* von den Eagles. Das Original ist schon furchtbar. Wolltest du mir das zeigen?«

»Nee. Moment noch.«

Krk. »Das nächste freie Känguru ist für Sie reserviert.« Krk.

»Siehst du?«, fragt das Känguru und kuckt auf die Uhr. »Jetzt habe ich schon drei Euro verdient, ohne überhaupt mit dir geredet zu haben.«

»Die will ich aber wieder«, sage ich und lege verärgert auf.

Gleich darauf klingelt das Mobiltelefon des Kängurus erneut.

»Ja. Hallo?«, fragt es. »Ob ich fünf Minuten Zeit für eine Umfrage habe? Fünf Minuten? Fünf Stunden, Herzchen!«, und es verschwindet in Richtung Tür.

»Hey! Was ist mit meinen drei Euro?«, frage ich.

»Wenn du dich beschweren willst«, sagt das Känguru im Hinausgehen, »ruf mich doch einfach an.«

DIE ESS-GERÄUSCHE DER ANDEREN

Ich habe bei dem Preisausschreiben der Augenlaserklinik gewonnen. Zwei Gutscheine für ein Essen im Dunkelrestaurant. Der fast blinde Kellner führt das Känguru und mich zu unserem Platz in einem völlig abgedunkelten Speisesaal.

Wir setzen uns.

»Man sieht ja gar nix«, sagt das Känguru.

»Das ist ja der Witz«, sage ich.

Schweigen.

»Bist du noch da?«, fragt das Känguru, und gleich darauf schruppt eine Pfote über mein Gesicht.

»Ey, lass das!«, schimpfe ich. »Soll ich das mal bei dir machen?«

Ich greife über den Tisch ins Dunkle.

»Ah! Mein Auge!«, schreit das Känguru. »Ich kann nichts mehr sehen! Ich bin blind! Du hast mich blind gemacht!«

»Ich kann auch nix sehen!«, sage ich. »Das ist ja der Witz!«

Ich höre, wie das Känguru in seinem Beutel kramt. Plötzlich explodiert die Sonne vor meinen Augen.

»Aaaaaaaah!«, schreie ich. »Ich bin blind.«

Erbost nimmt der Kellner dem Känguru die High-Energy-Taschenlampe weg, mit der es mir direkt in die Augen geleuchtet hat.

»Ich kann nix mehr sehen!«, rufe ich. »Nur tanzende, leuchtende Flecken.«

»Das ist ja der Witz«, sagt das Känguru.

Kurze Zeit später wird das Essen serviert. Während ich noch versuche, Messer und Gabel zu koordinieren, schmatzt das Känguru schon.

»Meins schmeckt ziemlich trocken«, mault es.

»Das liegt wahrscheinlich daran, dass du die Tischdekoration isst«, sage ich.

»Pfuäh!«, spuckt das Känguru aus. »Tatsächlich! Aber wie bescheuert ist das denn? Tischdekoration in einem Dunkelrestaurant!«

Ich schiebe die erste Gabel an meine Nase.

»Darf ich mal deins probieren?«, fragt das Känguru.

»Ja«, sage ich, »mach.«

»Hm«, sagt das Känguru. »Irgendwie glibschig. Und das hier fühlt sich an wie Salat.«

»Ey!«, rufe ich. »Patschst du mit deiner Pfote in meinem Essen rum?«

»Äh ... nein«, sagt das Känguru.

Schweigend lauschen wir den Essgeräuschen der anderen.

»Die Essgeräusche der Anderen«, murmle ich. »Das wäre ein super Titel für einen Arthouse-Film.«

»Wenn du auf eins verzichten müsstest«, sagt das Känguru, ohne auf mein Gemurmel einzugehen. »Reden, Hören oder Sehen. Auf was würdest du verzichten?«

»Das ist einfach«, sage ich. »Aufs Hören.«

»Warum?«

»Dann müsste ich dein Geschwätz nicht mehr ertragen.«

»Ach ja?«, sagt das Känguru. »Und ich würde liebend gerne aufs Sehen verzichten, um deine Hackfresse nicht mehr ertragen zu müssen.«

»Ich finde, du solltest lieber aufs Reden verzichten«, sage ich. »Dann müsste ich nicht aufs Hören verzichten.«

»Ich finde, du solltest aufs Sehen verzichten, dann müsste ich nicht … Nee, Moment mal. Nee, du solltest auch aufs Reden verzichten oder aufs Hören …«

»Weißt du was?«, sage ich. »Ich verzichte auf gar nichts.«

»Du musst aber«, sagt das Känguru und schlägt dabei wild mit seinen Pfoten in die ungefähre Richtung, aus der es meine Stimme zu hören glaubt.

»Muss ich gar nicht«, sage ich und schlage wild zurück ins Dunkle. Irgendwen erwischen meine Schläge auch. Ob es das Känguru ist, kann ich natürlich nicht mit letzter Gewissheit sagen.

Wenige Augenblicke später jedenfalls ist der gesamte Saal in Aufruhr, und es folgt die größte Massenkeilerei im Dunkeln seit die Orks Moria überfallen haben. Heimlich stehlen das Känguru und ich uns davon.

Als wir nach draußen kommen, fällt das Känguru auf die Knie, küsst den Boden und schreit: »Ich kann wieder sehen!«

Ich seufze: »Und ich kann dich leider immer noch hören.«

ENE MENE
MUH

»Das ist doch gar nicht dein Fahrrad!«, sage ich zum Känguru.

»Wie kommst du drauf?«, fragt es.

»Weil du einen Bolzenschneider aus deinem Beutel geholt hast – und keinen Schlüssel«, sage ich.

»Hab den Schlüssel verloren«, sagt das Känguru und blickt mich herausfordernd an.

»Ach so«, sage ich.

»Die Frage ist nur…«, sagt das Känguru und geht die Fahrräder im Ständer ab, »zu welchem Rad habe ich den Schlüssel verloren…«

Es tippt mit dem Bolzenschneider leicht auf jeden Hinterreifen.

Dabei sagt es: »Ene Mene Muh…«

> DER REST DIESES KAPITELS WURDE AUF
> ANWALTLICHES ANRATEN HIN ENTFERNT.

NEUE
REGELN

»Ach! Kapitalismus ist doch total scheiße!«, ruft das Känguru und wirft das Monopoly-Brett um.

»Nur weil du verlierst«, sage ich und versuche den angerichteten Schaden wieder zu beheben.

»Da habe ich 99 Prozent der Leute auf meiner Seite«, sagt das Känguru.

»Beruhigst du dich wieder oder war's das jetzt?«, frage ich und weigere mich, in die hundertste Wiederholung der Debatte über die Folgen der Globalisierung einzusteigen. Das Känguru scheint noch unschlüssig, ob es sich beruhigen will oder ob es das jetzt war.

»Erst im Scheitern zeigt sich wahre Größe«, sage ich. »Hat meine Mama immer gesagt.«

»Pah«, sagt das Känguru. »Und mein Papa hat immer gesagt: Es ist besser, ein schlechter Gewinner zu sein, als ein guter Verlierer.«

Inzwischen habe ich den Wiederaufbau des Spielfeldes abgeschlossen. Das Stadtbild hat zwar ein wenig gelitten, aber das gehört ja zu einem Wiederaufbau dazu.

»So, jetzt setz dich«, sage ich.

»Aber ich zahl nix, nur weil ich auf deinem blöden Bahnhof gelandet bin.«

»Is gut.«

»Das führen wir jetzt ein«, sagt das Känguru. »Bahnhöfe

kosten nix mehr. Ich finde, der öffentliche Personenverkehr sollte kostenlos sein.«

»Okay«, sage ich um des Friedens willen, obwohl natürlich alle vier Bahnhöfe mir gehören. Ich denke zurück an den Abend, an dem wir Risiko gespielt und uns ordentlich verkracht haben, weil das Känguru sich beharrlich weigerte, jemanden anzugreifen.

Ich würfle, nehme eine Gemeinschaftskarte und erhalte sieben Prozent Dividende auf meine Vorzugsaktien. »Wer hat, dem wird gegeben«, schnaubt das Känguru altklug, würfelt und landet auf einer meiner Straßen.

»Mal sehen ...«, murmle ich. »Schlossallee. Mit drei Häusern. Das macht: Achtundzwanzigtausend D-Mark.«

»Nee«, sagt das Känguru. »Das ist 'ne Hausbesetzung. Hausbesetzer zahlen keine Miete.«

Außerdem nimmt es mir die fünfhundert Mark weg, die ich gerade für meine Aktien bekommen habe, und sagt: »Kapitalertragssteuer.«

»Die beträgt doch nur zwanzig Prozent!«, beschwere ich mich.

»Jetzt nicht mehr«, sagt das Känguru. »Der Satz ist gerade gestiegen.«

Dann reißt es den Fünfhundert-Mark-Schein entzwei, schreibt hinten auf die unbedruckte Seite: »Wohnraum für alle – jetzt und umsonst« und klemmt den Fetzen zwischen meine Häuser.

»Was ist das?«, frage ich.

»Ein Banner!«, ruft das Känguru. »Ein Transpi!«

Ich schüttle den Kopf und seufze: »Diese Abkürzungen sind wirklich furchtbar ...«

»Was willst du nun tun?«, fragt das Känguru. »Willst du die Polizei holen? Willst du mich räumen lassen?«

Ich sage nichts.

»Du willst dein Geld haben?«, fragt das Känguru. »Willst du Geld haben? Hier hast du Geld!«, und es greift in die Bank und schmeißt mir die Scheine hin.

»Das darfst du nicht«, sage ich.

»Wieso nicht?«, fragt das Känguru.

»Das ist gegen die Regeln«, sage ich.

»Die hat sich doch nur jemand ausgedacht«, sagt das Känguru. »Und ich habe mir eben neue Regeln ausgedacht.« Ich nehme die Spielfigur des Kängurus und setze sie ins Gefängnis.

»Aaaaha!«, ruft das Känguru. »Jetzt zeigst du dein wahres Gesicht! Wer nicht spurt, wird weggesperrt.«

»Okay«, sage ich. »Wie willst du das Spiel spielen?«

»Wir fangen von vorne an«, sagt das Känguru. »Keine Miete mehr. Und das Gefängnis wird aufgelöst. Der Polizist in der Ecke hat nichts zu sagen. Die Arztkosten-Gemeinschaftskarte muss raus und die mit der Schulgeldzahlung auch.«

»Was ist mit: ›Du hast den zweiten Preis in einer Schönheitskonkurrenz gewonnen‹?«, frage ich.

»Darfste behalten«, sagt das Känguru. »Auch wenn man sich fragen kann, was das für eine Konkurrenz gewesen sein soll.«

»Was ist mit dem Wasserwerk?«, frage ich.

»Ist kostenlos. E-Werk auch.«

»Wir würfeln also nur noch, und wer über Los kommt, kriegt viertausend Mark?«, frage ich.

»Ja, genau.«

Das Känguru würfelt. Rückt fünf Felder vor. Ich würfle. Ein Sechserpasch.

»Nee. Das ist auch unfair«, sagt das Känguru und schiebt

die Spielfiguren zurück. »Wir machen es so: Wir würfeln beide gleichzeitig mit einem Würfel und rücken beide um die Summe der Augen vor.«

»Okay«, sage ich.

Es ist übrigens unentschieden ausgegangen.

TÄ DÄH!
TÄ DÄH!
TÄ DÄH!

Es klopft an der Tür. Ich öffne. Aha, die Polizei, denke ich.

»Wir sind die Polizei«, sagt die Polizei.

»Dacht ich mir's doch«, sage ich.

»Wohnt hier ein Känguru?«, fragt die Polizei.

»Nein«, sage ich automatisch.

»Dürfen wir reinkommen?«

»Nein.«

»Kennen Sie ein Känguru?«

»Nein.«

»Nicht bekannt, befreundet, verschwägert mit einem?«

»Nein.«

Das Känguru hat mich die Antworten für diese Art Befragung schon prophylaktisch auswendig lernen lassen. Es war sehr einfach. Der Polizist versucht in die Wohnung zu spähen.

»Dürfen wir reinkommen?«

»Nein.«

»Hat hier mal ein Känguru gewohnt?«

»Nein.«

»Waren Sie beim Vietcong?«

»Nein.«

»Verstecken Sie hier ein Känguru?«

»Nein.«

»Dürfen wir reinkommen?«

31

»Ja. Natürlich!«

»Wirklich?«

»Nein.«

»Sind Sie ein Känguru?«

»Hab ich 'nen Beutel?«

»Dürfen wir reinkommen?«

Ich seufze.

»Wolle mer se reinlasse?«, rufe ich in die Wohnung hinein.

Ein »Tä Däh! Tä Däh! Tä Däh!«, gefolgt von einem lauten »Nein«, schallt aus ihr heraus.

»Wer war das?«, fragt die Polizei.

»Das Känguru«, sage ich.

»Nein«, sagt die Polizei. »Sie veräppeln uns doch bloß.«

»Ja.«

»Dürfen wir reinkommen?«

»Ich mach jetzt die Tür zu«, sage ich freundlich. »Okay?«

»Sagen Sie uns Bescheid, wenn Sie ein Känguru sehen?«, fragt die Polizei.

»Na klaro!«, sage ich. »Mein heißer Tipp: Australien!«

Dann drücke ich die Tür sachte ins Schloss.

»Was hast'n angestellt?«, frage ich das Känguru, das sich mit dem Kopf nach unten im Wohnzimmersessel fläzt.

»Ach …«, sagt das Känguru und winkt gelangweilt ab. Ich frage nicht weiter nach. Man muss ja nicht alles wissen. Das Känguru lässt seinen Blick durchs Wohnzimmer schweifen.

»Benutzt du eigentlich oft dieses Zimmer?«, fragt es.

»Hä? Wieso?«, frage ich zurück.

»Eigentlich brauchst du dieses Zimmer nicht, oder?«

»Wieso? Worauf willst du hinaus?«

»Nix, nix«, sagt das Känguru, »war nur so 'ne Frage.«

DIE SPRACHE DER DUMMEN

Das Känguru ist vor kurzem bei mir eingezogen. Es hat einfach sein ganzes Zeug rübergeschafft und danach gesagt: »Is okay, oder?«

Ich habe nichts gesagt. Es ist ja sowieso immer hier.

»Is näher zum Kühlschrank«, hat es noch hinzugefügt. Inzwischen hat es das komplette Wohnzimmer für sich in Beschlag genommen. Es hat einen Boxsack in der Mitte des Zimmers installiert und in einer Ecke eine Hängematte zum Schlafen aufgehängt. Jetzt sitzt es am Küchentisch und klopft mit Messer und Gabel darauf herum. Dabei ruft es: »Ich habe Hunger, Hunger, Hunger, habe Hunger, Hunger, Hunger, habe Hunger, Hunger, Hunger, habe Durst!«

»Ach kuck«, sage ich. »Und jetzt soll ich springen und Essen machen.«

»Ja. Sonst verhau ich dich«, sagt das Känguru.

»Nee, nee«, sage ich. »So nicht.«

Das Känguru boxt mich auf den Oberarm.

»Aua!«, protestiere ich. »Das ist aber nicht richtig!«

»Ach, richtig, falsch …«, sagt das Känguru, »das sind doch bürgerliche Kategorien.«

Es boxt mich noch mal.

»Ey! Gewalt ist die Sprache der Dummen!«, rufe ich.

»Nee«, sagt das Känguru und denkt einen Moment nach. »Englisch.«

»Wie?«

»Oh excuse me, do you speak English? Haben Sie Ihre human resources schon gebrieft, dass sie wegen den shareholders outgesourced und lohngedumped werden? Oh, by the way: Der senior-assistant-manager-director soll doch bitte den head-of-saubermaching updaten, dass ich beim brainstorming ins mainoffice gevomitted habe.«

»Du immer mit deinem faden Antiamerikanismus«, sage ich kopfschüttelnd.

»Der ist nicht fad«, sagt das Känguru. »Der hat laaaaaange gezogen.«

»Finde ich trotzdem nicht richtig.«

»Richtig, falsch – das sind bürgerliche Katego…«

»Ja, ja.«

»Jetzt koch endlich, sonst wird dein controller beim nächsten meeting deine efforts als all-time-low reporten«, sagt das Känguru. »Und remember: Mehlklumpen im Teig sind ein absolutes no-go! So if you see something, say something.« Und es boxt mich schon wieder.

»Jetzt reicht's«, sage ich und hole mit dem Kochlöffel aus.

»Ey!«, ruft das Känguru. »Gewalt ist die Sprache der Dummen!«

KINO

»Wir haben schon lange nichts mehr zusammen gemacht«, sagt das Känguru in vorwurfsvollem Ton.

»Du meinst seit gestern?«, frage ich. »Was willst'n machen?«

»Kino«, sagt es.

»Was'n?«

»Ein Blockbuster.«

»Ach nee«, sage ich. »Dann meckerst du wieder jedes Mal, wenn die amerikanische Flagge im Bild ist. Also quasi die ganze Zeit.«

»Nee. Mach ich nicht. Versprochen«, sagt das Känguru. »Pionierehrenwort.«

Als wir am Abend so weit sind, die Wohnung zu verlassen, nimmt das Känguru den Müllbeutel aus dem Mülleimer.

»Was machst'n da?«, frage ich. »Das machste doch sonst nie.«

»Doch«, sagt das Känguru. »Wohl!«

Zehn Minuten später händigt uns der Junge im Kartenhäuschen des Multiplex-Kinos unsere Tickets aus – nebst einem Haufen Flyer, Gutscheinheften, Programminformationen und Werbung für Restaurants im Umkreis von einhundert Kilometern. Das Känguru nimmt den Stapel entgegen.

»Oh! Vielen Dank!«, sagt es. »Ich habe Ihnen hier auch etwas von meinem Müll mitgebracht«, und es stopft den

Müllbeutel so weit wie möglich durch die kleine Öffnung in der Glasscheibe des Kartenhäuschens.

»Du wolltest ja gar nicht ins Kino gehen«, sage ich. »Du hattest dir nur diesen Spruch ausgedacht und wolltest …«

»Na und?«, unterbricht mich das Känguru. »Lass uns nach Hause gehen. Der Film ist bestimmt eh scheiße. Und wahrscheinlich sieht man in jeder zweiten Einstellung die amerikanische Flagge …«

JÜDISCH-BOLSCHEWISTISCHE WELTVERSCHWÖRUNG E.V.

»Masseltow!«, sagt das Känguru, zieht an der Tüte und reicht sie mir.

»Wie bitte?«, frage ich, ziehe an der Tüte und reiche sie zurück.

»Ich bin Teil der jüdisch-bolschewistischen Weltverschwörung«, sagt es, zieht an der Tüte und reicht sie mir.

»Stopp!«, sage ich, ziehe an der Tüte und reiche sie zurück. »Unser Gespräch drehte sich bis eben noch um Nuss-Nougat-Creme-Brötchen. Wie kommst du denn jetzt da drauf?«

»Ich wollt's halt mal erwähnt haben«, sagt das Känguru, zieht an der Tüte und drückt sie aus.

»Fein«, sage ich. »Dann können wir ja jetzt zu Ende diskutieren, ob Nuss-Nougat-Creme auf Laugengebäck gehört oder nicht.«

»Natürlich«, sagt das Känguru und lächelt. »Gerne.« Schweigen.

Ich trommle mit den Fingern auf dem Tisch. Das Känguru lächelt immer noch fröhlich, blinzelt, trinkt einen Schluck von seinem Malzkakao, lächelt, blinzelt, trinkt einen Schluck von seinem Malzkakao …

»Okay, okay!«, rufe ich. »Du bist also Teil der jüdisch-bolschewistischen Weltverschwörung.«

»Ja«, sagt das Känguru.

»Und was macht ihr da so? Deine Homies und du?«

»Das kann ich nicht verraten«, sagt das Känguru. »Nur so viel: Ohne uns sähe die Welt ganz anders aus.«

Ich schüttle den Kopf: »Du machst mich echt fertig.«

»Wieso?«

»Na entweder du erzählst was oder du erzählst nichts, aber lass dir nicht immer alles aus der Nase ziehen.«

»In Ordnung«, sagt das Känguru, »aber über alles, was ich nun erzähle, musst du absolutes Stillschweigen geloben.«

»Jaja«, sage ich.

»Nein!«, sagt das Känguru. »Du musst es feierlich geloben. Auf das kleine rote Büchlein. Und dabei drei Mal die Internationale singen.«

»Und mich dann auch noch beschneiden lassen?«, frage ich.

»Das ist freiwillig«, sagt das Känguru. »Wir sind eine streng säkulare Gruppe.«

Ich schüttle nur genervt den Kopf.

»Also?«, fragt das Känguru.

»Was?«, frage ich.

»Ich hör dich nicht singen«, sagt das Känguru.

»Das liegt daran, dass ich nicht singen werde«, sage ich.

»Wieso denn nicht?«, fragt das Känguru.

»Weil ich gar keine Lust auf deine blöde Geschichte habe«, sage ich.

»Na, na. Was ist uns denn für eine Maus über die Leber gelaufen?«, fragt das Känguru.

»Erstens ist uns gar nichts über die Leber gelaufen, und wenn uns was über die Leber gelaufen wäre, dann wäre das zweitens eine Laus und keine Maus gewesen.«

»Wieso?«, fragt das Känguru.

»Weil man das eben so sagt, verdammt noch mal. Eine Laus läuft über die Leber. Eine Laus, keine Maus.«

»Was soll denn das für einen Sinn ergeben?«, fragt das Känguru.

»Was weiß ich!«, rufe ich. »So geht das Scheiß-Sprichwort nun mal! Eine Laus läuft über die Leber.«

»Diese Antwort befriedigt mich nicht«, sagt das Känguru. »Man darf nie aufhören, alles kritisch zu hinterfragen.«

»Ach ja?«, sage ich. »Dann hinterfrag mal das: FICK DICH!«

»Das ist wirklich keine Art ...«, sagt das Känguru.

Schweigen.

»Wir kämpfen für eine gerechte Weltordnung, für Brot für alle und für die Ächtung von sogenanntem Musikfernsehen.«

»Da seid ihr aber nicht sonderlich erfolgreich«, sage ich.

»Du machst dir ja keine Vorstellungen, wie es ohne uns aussehen würde«, sagt das Känguru. »Finsterstes Mittelalter, Alter.«

»Das ist doch alles Schwachsinn«, sage ich.

»So?«, fragt das Känguru und kramt in seinem Beutel, um mir gleich darauf einen Mitgliedsausweis unter die Nase zu halten.

Jüdisch-bolschewistische Weltverschwörung für eine gerechte Weltordnung, für Brot für alle und für die Ächtung von sogenanntem Musikfernsehen e.V., lese ich.

»Ihr seid ein eingetragener Verein?«, frage ich.

»Willst du mitmachen?«, fragt das Känguru.

»Ach. Ich hab's nicht so mit der Vereinsmeierei.«

»Klapp mal auf«, sagt das Känguru.

»Mitgliedsnummer 1«, lese ich vor.

»Du kannst Mitgliedsnummer 4 haben«, sagt das Känguru.

»Beuteltier!«, rufe ich. »Das ist ein Agentenausweis aus einem Micky-Maus-Heft, auf den du mit Filzstift was draufgeschrieben hast.«

»Nein«, streitet das Känguru ab.

»Doch!«, sage ich. »Hier! Siehst du? Da ist eine Maus draufgedruckt mit großen schwarzen Ohren, einem Sherlock-Holmes-mäßig karierten Mantel, einer Pfeife im Mund, und hier in den Rückkarton ist eine Plastikkinderlupe eingelassen – als Gimmick.«

»Die Lupe hat mir schon oft gute Dienste erwiesen«, sagt das Känguru eingeschnappt.

»Wer ist denn noch in deinem Club?«, frage ich. »Das Gespenst des Kommunismus und Krusty, der Clown?«

»Du bist gemein«, sagt das Känguru. »Krusty den Clown gibt's doch gar nicht.«

»Macht ihr da auch Stammtischsitzungen, Wanderausflüge und denkt euch für eure Jahreshauptversammlung humoristische Sketche aus?«

Das Känguru antwortet nicht. Stattdessen fängt es an leise zu weinen. Es schluchzt. Beschämt dreht es sich weg. Dann fängt es richtig an zu heulen.

»Hey«, sage ich tröstend. »Tut mir leid. Ich hab's doch nicht so gemeint!«

Ich nehme es in den Arm und tätschle ihm aufmunternd den Rücken.

»Doch«, schluchzt das Känguru. »Und du hast ja recht. Es ist ein ganz blöder Verein.«

»Nein, Mann!«, sage ich. »Das ist ein voll cooler Verein.«

Pause.

»Echt«, sage ich.

Das Känguru schluchzt.

»Und ich würde echt gerne mitmachen in deiner Bande.«

Das Känguru löst sich von mir.

»Wirklich?«, fragt es.

»Na klar!«, sage ich.

Jetzt lächelt es wieder, nur seine Augen sind noch ein wenig verheult.

»Dann müssen wir dich jetzt offiziell aufnehmen«, sagt es.

Es kramt in seinem Beutel nach dem kleinen roten Buch und legt meine Hand darauf.

»Und jetzt: Sing!«

BROTLOSE KUNST

Das Känguru kuckt in den Kühlschrank.

»Ich dachte, du wolltest einkaufen«, sagt es.

»Hab stattdessen ein Gedicht geschrieben«, sage ich.

»Na prima«, sagt das Känguru. Es wirft die Kühlschranktüre zu. »Sagt man deshalb, dass das Dichten eine brotlose Kunst ist?«

»Haha! Hoho!«, sage ich. »Welch Meisterleistung der flachen Situationskomik.«

»Na, dann mal her mit deinem Gedicht«, sagt das Känguru. »Vielleicht wird mir ja schlecht davon. Dann habe ich wenigstens keinen Hunger mehr.«

Ich deklamiere:

>*»Wie ich mal groß einkaufen war*
> Steh vor dem Lidl, kurz nach acht.
> Leider hat er schon dichtgemacht.
> Auf einem Schild les' ich tags drauf:
> Sonntag ham wir gar nicht auf.«

»Lidl ist böse«, sagt das Känguru. »Hatten wir das nicht schon durchgesprochen, dass du nicht bei Lidl einkaufen sollst?«

»Hab ich ja auch nicht.«

SCHÖNE KLINGELTÖNE

»Ich hab 'ne neue Geschäftsidee«, sagt das Känguru.

»Ach ja?«, frage ich.

»Ich mach jetzt in Klingeltönen«, sagt das Känguru, »www.schoeneklingeltoene.de.«

»Soso«, sage ich skeptisch.

»Wann hab ich je mit einer Geschäftsidee falschgelegen?«, fragt das Känguru.

»Ich sage nur: Wurstpralinen.«

»Ach. Die Zeit war einfach noch nicht reif. Meine neue Geschäftsidee dagegen ist so was von überfällig«, sagt das Känguru. »Ruf mich mal an!«

»Nee«, sage ich. »Is mir zu teuer.«

»Jetzt mach«, sagt das Känguru. »Ich geh nicht ran.«

Ich wähle die Nummer des Kängurus. Plötzlich quäkt es aus dessen Telefon: »*Hallo! Hallo! Ich bin's! Dein neuer Klingelton! Du hast fünf Euro für mich bezahlt! Bist du blöd? Dafür hättest du dir ein Buch kaufen können. Hallo! Hallo! Ich bin's! Dein neuer Klingelton! Du hast fünf Euro für mich bezahlt! Bist du blöd?*«

Ich lege auf.

»Kritische Klingeltöne!«, ruft das Känguru enthusiastisch.

»Das hat der Welt gerade noch gefehlt«, sage ich.

Das Känguru nickt begeistert.

»Ich glaube aber nicht, dass sich dieser Klingelton gut verkaufen wird«, wende ich ein.

»Oh doch! Ich habe den Klingelton ›FURZEN, FICKEN, RÜLPSEN‹ genannt.«

»Clever«, sage ich anerkennend. »Da trifft es jedenfalls die Richtigen.«

»Es gibt noch mehr Klingeltöne«, sagt das Känguru und drückt ein paar Tasten: »Kuck, der hier heißt ›SOUND EINER GELDZÄHLMASCHINE‹.«

Das Handy schreit: »Ft Ft Ft Ft Ft – Einhunderttausend – Ft Ft Ft Ft Ft – Eine Million – Ft Ft Ft Ft Ft – Eine Milliarde Menschen hat nichts zu fressen, weil du dein Vermögen so gut angelegt hast. Du meinst, davon, dass du dein Geld für dich arbeiten lässt, fällt in China kein Sack Reis um? Falsch! Wenn du deinem Fondsmanager deine Rentenbeiträge, dein Zur-Seite-Gelegtes wieder wegnimmst, fällt in China ein Sack Reis im Preis! Weißt du überhaupt, mit was deine Bank spekuliert? Wenn sie mit Lebensmitteln spekuliert, beteiligst du dich für ein paar Dollar mehr an digitalem Massenmord! In Afrika ...«

»Wie lang geht der?«, frage ich.

»Ich hab einfach mal alles rausgelassen«, sagt das Känguru. »Der wiederholt sich erst nach zwei Stunden zwanzig.«

Ich lege auf.

»Überlänge.«

»Stimmt ...«, sagt das Känguru nachdenklich. »Ich sollte ihn teurer machen.«

Wieder drückt es auf seinem Telefon herum.

»Hör dir den noch an. Der verkauft sich bestimmt am besten.«

Aus dem Handy säuselt eine Frauenstimme: »Ja! Jah! Jaha! Ja, es klingelt. Aber wenn du jetzt rangehst, kannst du dich genauso gut gleich anziehen und nie mehr wiederkommen.«

»Ich nenne ihn ›COITUS INTERRUPTUS‹«, sagt das Känguru.

»Schön, schön«, sage ich. »Aber was, wenn einer deiner Kunden der Meinung ist, er könne auf eine moralisierende Gehirnwäsche durch sein Mobiltelefon dankend verzichten?«

»Wer sich beschweren will, soll mich einfach anrufen«, sagt das Känguru. »Nur 69 Cent pro Minute.«

WARZEN-SCHWEIN

»Stück mal 'n Rück«, sagt das Känguru.

Ich blicke vom Laptop zu ihm hoch.

»Was?«

»Rück mal ein Stück«, sagt es. »Ich will auch aufs Sofa.«

»Ach so«, sage ich und mache Platz. »Ich hatte ›Stück ma en Rück‹ verstanden.«

»Ja, genau. Stück mal ein Rück. Ich will auch in den Schlepptop kucken«, sagt das Beuteltier und setzt sich. »Sehr liebenswürzig. Schanke döhn.«

Ich schüttle mich.

»Du musst schitte böhn sagen«, sagt das Känguru.

»Nä«, sage ich, »muss ich gar nicht«, und massiere meine Schläfen.

»Is was, Doc?«, fragt das Känguru.

»Du weißt doch, dass mir pseudowitzige Wortverdrehungen physische Schmerzen bereiten«, sage ich.

»Wie was zum Bleistift?«, fragt das Känguru.

»Zum Bleistift zum Bleist… Bleispiel.«

Ich seufze.

»Ach, du meinst, wenn man die Wechstaben verbuchselt?«

»Gnade!«, winsle ich.

»Das kannst du nicht leiden?«, fragt das Känguru schein-heilig. »Ich dachte, mit so was verdienst du dein Geld. Das darf doch echt nicht Warzenschwein.«

»Was willst du von mir?«, frage ich gequält.

»Wo hast du die Schnapspralinen versteckt?«

»Meinst du nicht, du gönnst dir zu viele davon?«

»Wo hast du die Schnapspralinen versteckt?«

»Die habe ich nicht versteckt. Die sind alle.«

Das Känguru schüttelt traurig den Kopf.

»Gut, Knut«, sagt es dann.

Wieder zucke ich zusammen.

»Du solltest wissen, dass ich das nicht tun möchte. Aber du lässt mir keine andere Wahl ... WO SIND DIE PRAPSSCH-NALINEN?«

»Ich weiß nicht ...«, stöhne ich.

»LÜGE DAS TEUTELBIER NICHT AN! WO SIND DIE PRAPSSCHNALINEN?«

»In meinem Kleiderschrank«, schreie ich verzweifelt. »Unter dem losen Brett!«

»Schanke Döhn. Geht doch«, sagt das Känguru fröhlich und springt auf. »See you later, alligator.«

»Toodeloo, kangaroo.«

ZIELE

Ich liege faul in der im Wohnzimmer aufgespannten Hängematte und zähle meine Finger. Zehn. Noch mal. Zehn. Noch
mal. Neun. Hä? Nee. Ach so. Zehn. Ohne anzuklopfen, dafür
mit Schwung, kommt das Känguru zur Tür herein.

»Liegst du schon wieder in der Hängematte?«, fragt es.

»Keineswegs«, sage ich und schnipse einen Fussel von
meinem Pyjama-Hemd. »Immer noch.«

»Du bist noch nicht einmal aus deinem Schlafanzug raus!«,
sagt das Känguru.

»Ist dir schon aufgefallen, dass es manchen Leuten ein
Bedürfnis zu sein scheint, das Offensichtliche auch noch unbedingt in Worte zu fassen?«, frage ich.

»Ich wollte dich fragen ...«, fängt das Känguru an.

»Ich habe mir vorgenommen, heute nichts zu machen«,
sage ich.

»Soso«, sagt das Känguru. »Und ich Dummerchen dachte,
das war gestern dein Plan gewesen.«

»Nee«, sage ich. »Gestern habe ich nur nichts gemacht.
Ich hatte mir aber nicht vorgenommen, nichts zu machen.
Deswegen war ich dann am Ende des Tages unzufrieden, weil
ich nichts gemacht hatte. Heute Abend aber werde ich zufrieden sein, weil ich das erreicht haben werde, was ich mir vorgenommen hatte.«

»Nichts?«, fragt das Känguru.

»Genau.«

»Du hast also Zeit?«

»Im Prinzip: ja.«

»Dann könntest du mir ja jetzt endlich mal helfen, das Bad zu putzen«, sagt das Känguru.

»Eigentlich gerne, aber das passt leider nicht in mein Konzept«, sage ich. »Wenn ich dir jetzt helfe, werde ich ja etwas gemacht haben, und dann werde ich nicht zufrieden sein am Abend, weil ich nicht erreicht habe, was ich erreichen wollte.«

»Nichts«, sagt das Känguru.

»Genau.«

»Es ist gut, sich Ziele zu stecken«, lobt das Känguru nickend. »Sonst wird man noch zum Taugenichts und hängt die ganze Zeit nur faul rum.«

»Was hattest du dir für heute vorgenommen?«, frage ich.

»Dasselbe wie jeden Tag«, sagt das Känguru. »Den Kapitalismus abzuschaffen.«

»Und jetzt kuck mal in den Spiegel«, sage ich. »Du siehst sehr unzufrieden aus. Hätteste dir lieber mal vorgenommen, nichts zu machen.«

»Nee, nee, nee«, sagt das Känguru. »Wenn alle so denken würden ...«

»Wenn alle so denken würden, gäb's keinen Kapitalismus mehr.«

»Hm«, sagt das Känguru.

»Es ist wie beim Mülltrennen«, sage ich. »Erst wenn die Massen mitmachen, hat es einen relevanten Effekt, aber anderseits: Einer muss anfangen. Drum tu ich nichts mehr.«

»Passiver Widerstand ...«, sagt das Känguru bedächtig nickend.

»Genau«, sage ich.

»Verlockendes Konzept«, sagt das Känguru. »Darf man beim Nichtstun Bud-Spencer-Filme kucken?«

»Aber sicher.«

»Gefällt mir«, sagt das Känguru. »Gefällt mir.«

HÄNGER

»Siehst so unzufrieden aus«, sagt das Känguru.

»Ja. Ich hab doch noch was gemacht gestern«, sage ich.

»Ach ja? Hab ich gar nicht mitgekriegt.«

»Hab ein Gedicht geschrieben.«

»Und jetzt biste unzufrieden, weil du doch nicht nichts gemacht hast?«

»Ja. Das Gedicht heißt Hänger.«

»Und zu allem Überfluss möchtest du es jetzt bestimmt auch noch vortragen.«

»Ja.«

»Na dann mach.«

Ich deklamiere:

> »*Hänger*
> Du hängst an Stricken – ich steh auf Beinen
> Ich bin aus Fleisch – du bist aus Leinen
> Du wünschst dir nichts – ich, dass ich in dir wär'
> Oh Hängematte – wir unterscheiden uns sehr
> Doch eins verbindet heute dich und mich
> Du hängst genauso durch wie ich«

»Na ja, das würde ich noch als ›nichts‹ durchgehen lassen«, sagt das Känguru.

DER ZERBROCHENE KRUG

Ich habe den Vornamen meiner Oma vergessen, also tippe ich meinen Namen bei Wikipedia ein, und was lese ich da?

»Marc-Uwe Kling ist ein deutscher Liedermacher, Autor und Kabarettist, lebt in Berlin bla bla bla, et cetera, seine Oma hieß Helene, und er ist augenblicklich so was von dran mit Badputzen.«

Ich klicke dreimal mit dem Kugelschreiber in meiner Hand.

»Komm mal her!«, rufe ich. »Hast du das geschrieben?«

Das Känguru schlurft gemächlich aus der Küche, eine kalte Bulette in der Pfote.

»Nein«, lügt es. »Aber es wird wohl stimmen, wenn's im Online-Lexikon steht.«

»Ha! Von wegen!«, protestiere ich. »Da kann ja jeder drin rumpfuschen. Zum Beispiel auch ein gewisses Beuteltier, welches höchstwahrscheinlich selbst mit Badputzen dran ist. Ich bin mir ziemlich sicher, dass ich letzte Woche geputzt habe.«

»Aha«, sagt das Känguru. »Das dachte ich mir, dass du das behaupten würdest.«

Das Känguru wechselt zu YouTube und zeigt mir ein Video, welches ein Känguru beim Badputzen zeigt.

Das Video wurde vor genau einer Woche hochgeladen.
Ich überfliege die neuesten der 1974 User-Kommentare:
»Großartig, wie das Känguru das Bad putzt!«
»Bestes Känguru ever!«
»Känguru for Bundeskanzler.«
»Tolles Video! Und klick mal hier, hier gibt's billig Viagra.«
»Ach. Und wenn schon!«, rufe ich. »Von mir aus. Ich
bin dran. Aber ich mach hier fast alles und du nichts.
Ich habe heute schon ganz alleine Wäsche gewaschen,
gespült und eingekauft, weil du keine Lust hattest. Wenn
es dich so stört, putz du doch. Ich bin doch nicht dein
Sklave.«

Am nächsten Morgen habe ich eine Unmenge elektronischer
Schmähbriefe in meinem Postfach. Die Betreffzeilen lauten:
»Post für Prinzessin-ich-mach mir-die-Finger-nicht-schmut-
zig«, »Schäm dich, du Ausbeuter!« oder »Bei dir tote Hose
im Bett – Rezeptfrei Viagra kaufen«.

Das Känguru hat meine E-Mail-Adresse in einem Tier-
schutz-Blog veröffentlicht, zusammen mit einem herzer-
weichenden Lügenbericht über seine Lebensverhältnisse.
Mein Wikipedia-Artikel hat sich verändert. Jemand hat mir
ein Hitlerbärtchen ins Foto gemalt. Der Text lautet: »Kling
ist ein niveauloser <u>Kleinkünstler</u>, der in billigen Liedchen
großspurig vom ›Verein freier Menschen‹ predigt, sich aber
zu Hause 'nen Lenz macht und ein Känguru für sich schuf-
ten lässt. Seine Seele ist böse, sein Charakter verdorben,
und er findet Terence Hill besser als Bud Spencer!« Ein
Link führt zu einem YouTube-Video, in dem ich mich sagen
höre:
»Ich bin dran. Aber ich mach hier // nichts. Ich habe //
keine Lust // putz du // Sklave.«

Mein Sprachduktus scheint mir ein wenig kantiger als normal.

»Ich verabscheue dich wegen deiner Kleinkunst zutiefst!«, kommentierte MasterJuggler.

»Ich finde raus, wo du wohnst, du Oper!«, kommentierte Kuschelmaus34.

»Du meinst wohl Opfer, du Theater!«, schrieb Ortographie-Checker.

Und »Super Video! Aber klick mal hier, hier gibt's billig Penispumpen«, meint Penispumpenshop24 dazu.

Während ich das Bad putze, kommt das Känguru hinzu: »Kann der Druck der öffentlichen Meinung also noch immer etwas bewirken«, sagt es zufrieden.

»Ach«, sage ich. »Wer die Berichterstattung beherrscht, bringt die Leute immer dazu, willig für einen in den Krieg zu ziehen.«

Das Känguru lächelt erhaben. »Es freut mich jedenfalls, dass du dich deinem Schicksal gefügt hast. Nichts ist peinlicher als ein Verlierer, der nicht merkt, dass er verloren hat.«

»Ja, ja«, sage ich. »Aber jetzt mal unter uns. Ich habe mir das Video noch mal angekuckt. Der blaue Krug mit den Blumen, den man da auf dem Fensterbrett sieht … Der ist doch schon vor ein paar Monaten zerbrochen.«

»Das stimmt«, sagt das Känguru plötzlich eiskalt. »Aber das kannst du mir nicht nachweisen.«

Ich lächle.

»Ich habe nicht umsonst fünf Staffeln ›The Wire‹ gekuckt«, sage ich und hole eine kleine Videokamera aus ihrem Versteck im Spiegelschrank.

»Ganz miese Tour …«, sagt das Känguru.

»Ach weißt du ...«, sage ich und drücke dem Känguru den Putzlappen in die Hand. »Nichts ist peinlicher als ein Verlierer, der nicht erkennt, dass er verloren hat.«

DIE TYRANNEI DER TRISTESSE

»Was machst du da?«, fragt das Känguru.

Ich halte inne.

»Siehste doch«, sage ich.

»Du seilst dich mit Bergsteigerausrüstung vom Balkon ab?«

»Eben«, sage ich und lasse mich noch ein Stück weiter hinunter.

»Also gut«, sagt das Känguru. »Ich formuliere meine Frage um: Warum machst du das?«

»Na, ich will nach unten.«

»Ach so«, sagt das Känguru. Am Balkon der Nachbarin von unten bleibe ich fast an den Blumenkästen hängen. Das Känguru beugt sich über unser Balkongeländer.

»Verzeih, wenn das Folgende vielleicht sehr dumm ist – aber darf ich fragen, warum du nicht einfach die Treppe benutzt?«

»Ich will jeden Tag etwas Besonderes machen«, sage ich. »Denn etwas Besonderes a day keeps the blues away. Das ist meine Philosophie.«

»Ich dachte, deine Philosophie ist, dass du dir vornimmst, nichts zu machen.«

»Ich habe das noch weiterentwickelt. Jetzt nehme ich mir nicht mal mehr was vor.«

»Daran gemessen, ist diese Aktion aber reichlich extravagant, oder nicht?«

»Glaubst du etwa, ich habe mir das vorgenommen? Ich lasse mich treiben.«

»Du hattest also die spontane Eingebung, dich vom Balkon abzuseilen?«, fragt das Känguru.

»Na und?«, frage ich zurück und lasse mich vorsichtig noch ein Stockwerk hinunter.

»Und was machst du, wenn du unten bist?«

»Ich muss aufs Bürgeramt, was beantragen, und dann wollte ich noch kurz in den Supermarkt.«

»Spannend«, sagt das Känguru.

»Ja. Aber an heute werden wir uns trotzdem noch lange erinnern. Heute wird für immer der Tag sein, an dem ich mich vom Balkon abseilte.«

»Um eine Wartenummer zu ziehen und Toilettenpapier zu kaufen«, sagt das Känguru.

»Und doch wird dieser Tag ein Sieg sein gegen die Tyrannei der Tristesse«, sage ich. »Gegen die Monotonie der Maschine, gegen die Routenplanung der Routine, gegen die Gleichförmigkeit der Tage.«

»Bringst du mir Schnapspralinen mit?«, ruft das Känguru, als ich im Hof das Bodenpflaster berühre.

»So hat jeder seine Mittel und Wege, mit dem Leben klarzukommen«, murmle ich.

»Was?«, ruft das Känguru von oben.

»Is gut«, schreie ich.

»Aber nicht die billigen!«

FLUGSTUNDEN

Wir liegen faul und friedlich im Park, als eine kleine Handtaschenratte direkt neben meinem Ohr stehen bleibt und anfängt uns anzukläffen. Ich öffne die Augen und wedle genervt mit meinem Arm: »Schhhh ... Hau ab.«

Doch nun legt der Köter erst richtig los. Das Känguru steht auf, holt Schwung und kickt den Hund in hohem Bogen über die Liegewiese. Das Tier jault überrascht, fliegt, landet zehn Meter von uns entfernt, rappelt sich auf und rennt davon.

»Boah«, rufe ich und springe auf. »Das ... das ... das ...«

»... darf man doch nicht?«, versucht das Känguru meinen Satz zu vollenden.

»... wollte ich auch schon immer mal machen«, sage ich. Das Känguru kuckt kritisch dem Hund hinterher. »Das macht der nicht noch mal«, sage ich beeindruckt.

»Ach, diese Yorkshire-Terrier fliegen nicht so gut«, sagt das Känguru sichtlich unzufrieden. »Die verhalten sich aerodynamisch irgendwie ungeschickt. So ein Zwergspitz zum Beispiel oder ein Pekinese wäre bestimmt vier, fünf Meter weiter geflogen.«

»Ach«, sage ich interessiert. »Und welche fliegen am besten?«

»Chihuahuas liegen ganz gut in der Luft«, sagt das Känguru. »Kommt aber auch drauf an, wie sie geschoren sind.«

Da tippt mir eine Bärenpranke von hinten auf die Schulter.

»Ham Sie da jerade meenen Hund jetreten?«

Ich drehe mich um und starre auf nackte Brüste. Große, dicke, nackte, männliche Brüste. Ich drehe den Kopf nach oben, blinzle und sage:

»Ähhä...« Jetzt bloß nix Falsches sagen. »Ich nix deutsch«, sage ich, mache einen Schritt zurück und sehe mich der Personifizierung des Wortes »fies« gegenüber. Nur mit Mühe reiße ich meinen Blick vom nackten, glänzenden, zum Bersten gespannten Bauch mit dem Deutschland-in-den-Grenzen-von-anno-dazumal-Tattoo. Ich seufze. Da kann sich die Welt wirklich glücklich schätzen, dass sich Deutschland nicht so ausgedehnt hat wie das Tattoo auf diesem Bauch.

Die Ausländermasche könnte die falsche Wahl gewesen sein.

»Wie würde et Ihnen jefallen, wenn ick Ihr Känguru boxen würde?«

»Komm doch«, zischt das Känguru leise.

»Also streng genommen ist das nicht mein Känguru«, sage ich und ziehe Hoffnung aus der Tatsache, gesiezt worden zu sein. »Es gehört sich quasi selber. Es ist da sehr heikel, wenn es um Besitzverhältnisse geht. Nicht nur bei Produktionsmitteln.«

»Auch noch Kommunisten, oder wat?«

»Äh...«, sage ich, als ich von einer kleinen bellenden Ratte abgelenkt werde.

»Schhh. Hau ab«, sage ich.

»Willste noch Nachschlag?«, fragt das Känguru und kickt den Hund ein weiteres Mal in die Luft. Alle drei verfolgen wir gebannt die Flugbahn.

»Diesmal habe ich ihn besser getroffen«, sagt das Känguru zufrieden.

Der Typ schlägt zu. Das Känguru duckt sich, zieht seine Pfote in einem roten Boxhandschuh aus seinem Beutel, bringt blitzschnell einen Haken von unten, und der Typ geht k.o.

»Das macht der nicht noch mal«, sage ich beeindruckt. Gleich darauf höre ich schon wieder Gekläffe neben mir.

»Ach«, sagt das Känguru. »Es ist ein ewiger Kampf.«

ROBBiE
WiLLiAMS

»Robbie Williams hat achtzehn Tattoos, unter anderem zwei Schwalben, die beide auf seinen Penis deuten, wenn dieser erigiert ist«, sage ich.

»Was?«, fragt das Känguru.

»Ein mit Nadeln gestochenes Wortspiel«, sage ich.

»Hä?«, fragt das Känguru.

»Verstehst du nicht?«, frage ich. »Swallow ...«

»Warum erzählst du mir das?«

»Nein. Die eigentliche Frage lautet: Warum weiß ich das?«, sage ich. »Ich interessiere mich nicht für Robbie Williams, nicht für seine Musik, nicht für seine Privatangelegenheiten und schon gar nicht für intim-schmutzige Details seiner Kriegsbemalung. Warum weiß ich das? Ich will das nicht wissen.«

»Ich auch nicht«, sagt das Känguru.

»Wusstest du, dass Bud Spencer in jungen Jahren Profi-Schwimmer war?«

»Na klar«, sagt das Känguru. »Hat er nicht sogar bei den Olympischen Spielen eine Silbermedaille gewonnen?«

»Nein. In Helsinki ist er im Vorlauf als Fünfter rausgeflogen. In Melbourne wurde er Elfter.«

»War dir langweilig?«, fragt das Känguru. »Hast du wieder rumgegoogelt.«

»Etwa 70 % aller Suchanfragen von Jugendlichen bei

Yahoo Deutschland werden genutzt, um Google zu finden«, sage ich.

»Ich hoffe, ich vergesse das sofort wieder«, sagt das Känguru.

»Keine Chance«, sage ich. »Viel eher vergisst du deinen Masterplan für die Weltrevolution. Diesen Scheiß wirst du dir merken können. Denk nur an letzten Sonntag.« (Wir hatten Trivial Pursuit gespielt, und das Känguru hat sich schwer blamiert, weil es auf die Frage »Wie heißt die Ehefrau von Michael Schumacher?« die richtige Antwort wusste.)

»Warum kann ich mich nicht mehr an den Vornamen meiner Oma erinnern, weiß aber, wie die Adoptivkinder von Angelina Jolie heißen? Sicher, sicher. Ich habe es irgendwo gesehen oder gelesen. Aber ich habe viele Sachen irgendwo gesehen oder gelesen. Ich hätte mir viel lieber andere Sachen gemerkt! Zum Beispiel, wem ich meinen MP3-Player geliehen habe.«

Das Känguru schweigt.

»In Texas ist es verboten, Graffiti auf fremde Kühe zu sprayen«, sage ich. »Wenn Kühe zu viele Karotten essen, wird die Milch rosa. Im Amazonas leben rosafarbene Delphine. Delphine können sich selbst im Spiegel erkennen. Der *Spiegel* hatte bis heute 46 Mal Hitler auf seinem Cover. Der am häufigsten gecoverte Song aller Zeiten ist ›Yesterday‹ von den Beatles. ›Yesterday‹ ist das Lieblingslied von Horst Köhler. Horst Köhler ist der bürgerliche Name von Guildo Horn. Guildo Horn ...«

»Hör auf!«, schreit das Känguru. »Ich kann förmlich spüren, wie du wichtiges Wissen aus meinem Kopf hinausdrängst!«

»Und nicht nur das«, sage ich. »Die Informationsmüllindustrie hat ein so perfides, ausgefuchst-schlaues System geschaffen … Man müsste es bewundern, wenn man nicht drinstecken würde. Ja, sicher! Bei uns gibt es Pressefreiheit. Prima. Hier gibt es keine Zensur! Toll. Das ist auch gar nicht nötig, denn das Wichtige, das Interessante sucht man in der Informations-Müllhalde sowieso vergeblich. Nur wer ein paar Schritte zurückgeht und die ganze Müllhalde in den Blick nimmt, findet doch eine kleine Wahrheit. Nämlich: Das ist eine Müllhalde! Und dann liest du, dass die Freiheit Deutschlands am Hindukusch verteidigt werden muss, und irgendwie kommt dir das komisch vor, und du fragst dich: ›Ist das der Brocken oder die Zugspitze im Hindukusch?‹ – aber alles, was du wusstest, wurde verdrängt. Du kannst dich nur erinnern an Angelinas Adoptivkinder, an die Live-Übertragung einer Hochzeit zweier Adliger, deren Vorfahren leider der Revolution entwischt sind, an den Namen des Stürmers, der 10 Jahre vor deiner Geburt bei einem Freundschaftsspiel der Zweitligisten Alemannia Aachen und Arminia Bielefeld im Strafraum eine Schwalbe gemacht hat, und an die Schwalben, die auf Robbie Williams' Penis deuten, und dann – dann wirst du es schlucken. Wirst du alles schlucken. Dass längere Arbeitszeiten mehr Arbeitsplätz…«

»Entschuldige, dass ich hier kurz unterbreche«, sagt das Känguru. »Ich habe eine Zwischenfrage.«

»Hm?«, frage ich.

»Eigene Kühe darf man aber mit Graffiti besprayen, oder was?«

PERSPEKTI-
VISCHE
VERZERRUNGEN

»Kannst du heute mal bezahlen?«, fragt das Känguru nach dem Essen.

»Heute?«, frage ich. »Mal?«, frage ich. »Ich muss immer bezahlen, weil du nie Geld mitnimmst.«

»Tja«, sagt das Känguru lächelnd. »So ist das in der Welt. Der eine hat den Beutel, der andere hat das Geld.«

»Ja, aber vielleicht hat der andere irgendwann keine Lust mehr, den einen durchzufüttern.«

»Welcher andere?«, fragt das Känguru.

»Na ich!«, sage ich.

»Ach du immer mit deinem ich. Ich, ich, ich, ich, ich. Wie in deinen Geschichten: Ich wache auf. Ich gehe ans Telefon. Ich sage, ich frage, ich denke, ich will.«

»Willst du damit kritisieren, dass ich nur Ich-Erzähler-Geschichten schreibe?«

»Nein, nein«, sagt das Känguru. »Jeder, wie er's kann. Das ist halt am einfachsten.«

»Ich kann auch die Erzählperspektive wechseln«, sagt Marc-Uwe aufgebracht. »Jetzt bist du der Erzähler.«

Ich schüttele den Kopf, stecke heimlich den Aschenbecher des Restaurants in meinen Beutel und sage: »Das ändert doch nichts. Immer noch schreibst du als Ich-Erzähler.«

Das Beuteltier regt mich echt auf. Will mir vorschreiben, wie ich zu schreiben habe! Pah! Ich sag ihm doch auch nicht, wie es zu hüpfen hat! Der Käsekuchen sieht lecker aus. Ich kannte mal eine, die zwanghaft jeden Gedanken, den sie hatte, sofort ausgesprochen hat. Zum Glück dachte sie nicht so viel. Hm. Mein Bein ist irgendwie eingeschlafen. Aua. Was war das? Aua.

»Hallo, McFly! Jemand zu Hause?«, ruft das Känguru und klopft mir auf den Kopf. »Was soll das sein? Innerer Monolog? Immer noch Ich-Perspektive!«

Marc-Uwe stutzte.

»Kein Problem. Kein Problem«, sagte er dann. »Allwissender Erzähler.«

Die Kritik an seinem Werk hatte die Aufmerksamkeit des braunhaarigen, mittelgroßen, feingliedrigen jungen Mannes so in Beschlag genommen, dass ihm darüber entging, dass das Känguru diese Kritik nur formuliert hatte, um geschickt davon abzulenken, dass es mal wieder nicht bezahlen konnte. Als Marc-Uwe dies endlich begriff, hatte das Känguru das Café schon längst unauffällig verlassen.

Pech für das Känguru, denn die hübsche Kellnerin spendierte allen Gästen einen Käsekuchen aufs Haus. Dann kam wieder der verrückte Billionär vorbei und verteilte 500-Euro-Scheine. »Ich kann das jeden Tag zwei Stunden machen und habe trotzdem jeden Abend mehr Geld als am Morgen«, sagte er zu Marc-Uwe. »Irre, nicht? Man muss den Kapitalismus einfach gernhaben.« Am Nebentisch saß ein Fremder in Cowboyklamotten mit einem beeindruckenden grauen Schnurrbart. Er drehte sich zu Marc-Uwe und lächelte ihn an.

»Sagen Sie nichts«, sagte Marc-Uwe. »Sie wollen mich fragen, ob ich den Rest Ihres Käsekuchens haben möchte.«

»Woher weißt du das?«, fragte der Fremde mit rauer Stimme.

»Ich bin der allwissende Erzähler«, sagte Marc-Uwe.

»Soso«, sagte der Mann. »Weißt du also auch, wohin und für wen die Busse und U-Bahnen unterwegs sind, auf denen ›Betriebsfahrt‹ oder ›Nicht einsteigen‹ steht?«

»Äh ... äh ...«, sagte Marc-Uwe. »Also ... äh ...«

»Bist du dir sicher, dass du wirklich ein allwissender und nicht vielmehr ein unzuverlässiger Erzähler bist?«, fragte der Fremde. »Einer wie Münchhausen?«

»Nein. Sicher bin ich mir nicht«, sage ich, als sich der Fremde in eine Schnapspraline verwandelt.

Das Känguru steckt seinen Kopf zur Tür herein.

»Wird das heute noch was?«, ruft es. »Kommst du endlich? Oh! Eine Schnapspraline ...«

WENN ZWEI SICH
STREITEN, SITZT
DER DRITTE
IN DER MITTE

(Altes chinesisches Sprichwort)

»Jetzt hör doch mal …«, sage ich, während wir von der ruckelnden U-Bahn durchgeschüttelt werden.

»Mit dir rede ich nicht«, keift das Känguru und setzt sich auf einen einzelnen freien Platz direkt neben der Tür. Ich setze mich zwei Plätze weiter. Zwischen uns sitzt ein kleiner, dicker Mann in einem beigen Anzug, der eine kleine, runde Brille auf der Nase hat und ein bisschen wie ein zu groß geratener Hamster aussieht.

Ich beuge mich vor, um an ihm vorbei mit dem Känguru zu reden.

»Das ist doch lächerlich …«, sage ich.

»Hat hier jemand was gesagt?«, fragt das Känguru. »Ich habe nichts gehört.«

Ich lehne mich wieder zurück. Dann drehe ich den Kopf zu dem kleinen, dicken Mann und sage: »Könnten Sie bitte dem Känguru sagen, dass ich mich bereits entschuldigt habe?«

Der Mann reagiert nicht.

»Hallo!«, sage ich und stupse ihn an. »Könnten Sie bitte dem blöden Känguru sagen, dass ich mich bereits entschuldigt habe?«

»Wer? Ich?«, fragt der Mann erstaunt.

»Na wer denn sonst?«, frage ich. »Mit mir redet es ja nicht.«

Der Mann blickt zum Känguru, welches grimmig auf den Informationsmüllmonitor an der Decke des U-Bahn-Waggons starrt.

»Es tut mir leid«, sagt er zu mir. »Ich glaube, ich möchte mich da nicht einmischen.«

»Ist ja klar«, sage ich. »Sie sind also auch auf seiner Seite!«

»Nein, ich …«

»Dann verstehe ich nicht, warum Sie mir nicht diesen kleinen Gefallen tun können«, sage ich.

Jetzt zuckt der Mann auch noch genau wie ein Hamster mehrmals mit seinem Näschen und rückt danach seine Brille wieder zurecht. Dann sagt er zum Känguru: »Der Herr hier neben mir lässt Ihnen ausrichten, er habe sich bereits entschuldigt.«

Das Känguru wendet sich so zackig zu meinem Boten, dass dieser fast aufspringt.

»Aha. Und der Herr meint wohl, das reiche? Dann ist alles wieder gut? ›Ey, Jesus! Judas hier. Hab dich nicht erreicht, deswegen quatsch ich dir hier auf deine Mailbox. War irgendwie uncool von mir mit den Silberstücken und den Römern und so. Und die Nummer mit dem Kreuz. Na ja. Tut mir leid. Schwamm drüber. Tschüssi.‹ Aber so funktioniert es nicht«, sagt das Känguru. »Das können Sie dem Herrn ausrichten.«

»Das Känguru meint, das reiche nicht«, sagt der Mann zu mir.

»Sagen Sie bitte dem Känguru, wenn dem so sei, könne es mir den Buckel runterrutschen.«

»Der Herr meint, das müsse reichen«, sagt der Mann zum Känguru.

»Na, dann ist ja alles gesagt«, sagt das Känguru.

»Das Känguru sagt, dann sei alles gesagt«, sagt der Mann.

»Ich hab's gehört!«, sage ich. »Ich bin ja nicht taub. Aber

Sie werden doch zugeben, dass es sich absolut lächerlich benimmt. Würden Sie sich in seiner Situation so kindisch verhalten? Sicher nicht.«

»Ich weiß ja gar nicht, was passiert ist«, sagt der Mann.

»Das geht Sie auch nichts an!«, sage ich schnippisch. »Wir kennen uns doch gar nicht.«

Der Mann zuckt mit seiner Nase und schiebt seine Brille zurück.

»Ganz schön aufdringlich«, sagt das Känguru. »Wir fragen Sie doch auch nicht über Ihr Privatleben aus.«

»Nehmen Ihre Kinder Drogen, geht Ihre Frau fremd, werden Sie von Ihren Arbeitskollegen nicht ernst genommen?«, frage ich.

»Na hören Sie mal!«, sagt der Mann.

»Na hören Sie mal!«, äfft das Känguru ihn nach und zuckt mit seiner Schnauze. »Ich bin ein Hamster, ein Hamster. Nag, nag, nag, nag, nag.«

Der Mann steht auf und setzt sich auf einen einzelnen freien Platz am anderen Ende des Waggons.

»Das war ganz schön gemein«, sage ich.

»Meinste?«, fragt das Känguru.

»Ich finde, du könntest dich entschuldigen«, sage ich.

Das Känguru steht auf. Neben dem kleinen, dicken Mann sitzt eine kleine, dicke Frau. Das Känguru setzt sich neben sie. Die Frau hat ein winzig kleines Näschen und kleine, treudoofe Kulleräuglein. Das Känguru stupst sie an:

»Ey, Meerschweinchen! Können Sie bitte dem kleinen, dicken Mann sagen, dass es mir leidtut, dass ich ihn einen Hamster genannt hab?«

ZENSUR

»Ich hab gehört, du erzählst neuerdings von mir im Radio«, sagt das Känguru. »In so einer Kolumne ...«

»Findste nicht gut?«, frage ich.

»Kommt drauf an, was du erzählst«, sagt das Känguru.

»Nur Gutes«, sage ich.

»Nur Lügen!«, ruft das Känguru empört.

»Zum Beispiel?«

»Zum Beispiel, dass ich ständig Sachen mitgehen lasse. Oder dass ich palettenweise Schnapspralinen fresse!«

Stumm deute ich auf die leere Packung Schnapspralinen neben der Schlafstelle des Kängurus und öffne danach den Schrank, in dem sich unzählige Aschenbecher zu bedrohlich hohen Türmen stapeln.

»Die Geschichten haben sich genau so ereignet, wie ich sie erzählt habe«, sage ich. »Ich schreib ja immer gleich alles mit.«

»Immer?«, fragt das Känguru.

»Immer«, sage ich.

»Alles?«

»Alles.«

»Auch das jetzt?«

»Auch das.«

»Na, dann will ich deinem Publikum mal was verklickern!«, sagt das Känguru.

»... ....
................«

»Das schreib ich nicht«, sage ich.

»So, das schreibste jetzt nicht«, sagt das Känguru.

»Nö.«

»Aber das jetzt wieder?«

»Ja.«

»Ist ja typisch!«, sagt das Känguru. »Wenn einer mal was Wichtiges sagt, dann wird ausgeblendet, aber das Geschwafel läuft über alle Frequenzen.«

»Tja«, sage ich.

»Das könnteste mal schreiben«, sagt das Känguru.

»Hab ich«, sage ich.

Das Känguru springt auf den Tisch und tönt: »Ein Mann, der was zu sagen hat und keine Zuhörer findet, ist schlimm dran. Noch schlimmer sind Zuhörer dran, die keinen finden, der ihnen etwas zu sagen hat.«

»Guter Spruch«, sage ich. »Von dir?«

»Nee. Von Brecht.«

»Der den ›Steppenwolf‹ geschrieben hat?«

»Nee, des war doch Böll.«

»Aber gutes Buch«, sage ich.

»Ja«, sagt das Känguru.

»Hastes gelesen?«, frage ich.

»Nee«, sagt das Känguru. »Du?«

»Nee«, sage ich.

Das Känguru schnuppert in der Luft herum. Daran erkennt man, dass es Hunger hat.

»Schreibst du immer noch?«, fragt es.

»Ja«, sage ich.

»Hör auf damit!«, sagt das Känguru.

»Nö«, sage ich.

»Hör auf«, sagt das Känguru.

»Ich schreibe: ›Hör auf‹, sagt das Känguru«, sage ich.

»Hör auf, oder ich komm rüber und nehm dir den Stift weg.«

»Ui. Da hab ich aber Angst«, sage ich.

Das Känguru hüpft vom Tisch auf mich zu und versu

THEORIE UND
PRAXIS

Vor fünf Jahren hatte ich einen Flug im Internet gebucht. Äußerst günstig, versteht sich. Abflug: 5:30. Fünf Uhr dreißig. Morgens. Es war unbestreitbar *ökonomisch* richtig, den frühen Flug zu nehmen. Die praktische Umsetzung meiner Wahnsinnstat bekümmerte mich nicht im Geringsten. Als heute um halb vier der Wecker klingelte, bin ich selbst zum Opfer meines Fünfjahresplanes geworden. Das Känguru hingegen ist quietschfidel, hat ganz laut Nirvana aufgedreht und hüpft dazu wie wild in meinem Zimmer auf und ab. Nun sind auch all meine Nachbarn Opfer meiner unbestreitbar ökonomisch richtigen Entscheidung geworden.

»Alter!«, sage ich. »Es is vier Uhr früh! Was hast'n du für 'nen, äh … Biorhythmus?«

Wir fliegen von Berlin-Schönefeld nach Berlin-Tegel. Wollen da im gleichnamigen See baden. Durch den Frühbucherrabatt war der Flug einen Euro billiger, als S-Bahn zu fahren.

Als wir das Ticket für die S-Bahn zum Flughafen lösen, beschleicht mich der unangenehme Verdacht, irgendeinen Denkfehler gemacht zu haben.

Am Flughafen gibt es zufällige, verdachtsunabhängige Intensivkontrollen, und wie immer wird zufällig, verdachtsunabhängig ausgerechnet das Känguru kontrolliert.

»Weil ich zufällig, verdachtsunabhängig nicht so unverdächtig weiß-mitteleuropäisch aussehe?«, fragt es.

»Exakt«, brummt der outgesourcte, lohngedumpte Sicherheitsdienstleister.

»Und nu?«, fragt das Känguru. »Was willst du von mir, Mann ohne Eigenschaften?«

»Leeren Sie mal bitte Ihren Beutel.«

Wahnsinn, was es immer alles dabeihat: Kurt Cobains Tagebücher, eine Familienpackung Aspirin, einen alten Teddybär, eine Hängematte, ein Schlauchboot, eine Mao-Bibel, rote Boxhandschuhe, diverse Aschenbecher, zwei Packungen Schnapspralinen, meinen MP3-Player …

»Ach, kuck an«, sage ich. »Mein MP3-Player.«

Das Känguru zuckt mit den Schultern. »Ach. Mein, dein. Das sind doch bürgerliche Kategorien.«

»Dann jetzt noch den Beutel aufs Band bitte«, sagt der Mann.

Das Känguru blickt ihn verwirrt an.

»Das geht nicht«, sagt es konsterniert.

»Den Beutel bitte aufs Band«, wiederholt der Mann.

»Der ist angewachsen«, sagt das Känguru.

»Der Beutel«, sagt der Mann noch mal überdeutlich, »muss aufs Band.«

Seine Kollegin versucht mit einer Übersetzung weiterzuhelfen: »Please put the Beutel on the Band.« Das Känguru zieht mehrmals an seinem Beutel, macht dabei Quietschgeräusche und sagt überdeutlich und genervt: »Angewachsen! Geht nicht!«

»Der Beutel muss aufs Band. So sind die Vorschriften«, brummt der Mann.

»Das ist entwürdigend!«, ruft das Känguru eine Minute später vom Band, kurz bevor sein Kopf in der Durchleuchtemaschine verschwindet.

»Ich kann nix erkennen«, murmelt die Frau hinter dem Bildschirm.

»Wir müssen das noch mal machen«, sagt sie zum Känguru, als es auf der anderen Seite wieder rauskommt. »Und drehen Sie den Beutel bitte nach oben.«

»Ihr habt ja wohl den Arsch offen …«, beginnt das Känguru zu fluchen.

Der Mann nimmt sein Funkgerät, um Verstärkung zu rufen, ich blicke das Känguru flehend an. Es schnaubt böse, hüpft vom Band, stampft wieder zurück und legt sich noch mal anders herum drauf.

»It has to start somewhere …«, murmelt das Känguru. »It has to start sometime …«

»Kann ich schon durchgehen?«, frage ich.

»Schuhe aus. Hut ab. Jacke weg. Gürtel auf. Pullover runter«, sagt der Mann.

Als das Känguru wieder ganz in der Maschine drin ist, hört man seltsame Geräusche, und plötzlich ist das Bild auf dem Monitor verschwunden. Der Kopf des Kängurus wird unter dem schwarzen Gummivorhang vorgeschoben.

»Und was meinen Sie, Doktor?«, fragt es im fatalistischen Tonfall eines »Emergency-Room-Statisten«. »Isses was Schlimmes?«

Ich habe mich derweil komplett ausgezogen und frage: »Is gut so? Oder soll ich noch die Haare wegrasieren?«

Vier Tage später werden wir aus der Untersuchungshaft entlassen, nachdem das Känguru erfolgreich argumentiert hat, es sei nur an den Kabeln ›hängen geblieben‹, während ich mich damit entschuldige, nur die Anweisungen – in vorauseilendem Gehorsam – zu Ende gedacht zu haben. Wir werden ins Flugzeug gesetzt, drei Minuten später landen wir in Tegel. Das Känguru ist aber immer noch mies drauf, weil es für seinen Beutel auch noch zehn Euro Gepäckzuschlag bezahlen musste.

HEiMAT

»Ich mache bei 'nem Gedichtwettbewerb mit. Für die deutschen Heimattage!«, sage ich.

»Mhm«, sagt das Känguru.

»Willstes hören?«, frage ich.

»Hab ich 'ne Wahl?«, fragt das Känguru.

»Nö.«

»Dann schieß los.«

Ich deklamiere:

>»Kennen Sie Deutschland?
Im Süden die Berge
im Norden das Meer
und dazwischen Teer.«

Forschend blickt mich das Känguru an.

»Das war's?«, fragt es.

»Ich finde, damit ist alles gesagt.«

»Macht jeden Reiseführer überflüssig«, sagt das Känguru.

»Meine Stimme würdste kriegen.«

»Glaubste, ich gewinn?«

»Nö.«

»Is zu kurz?«

»Vielleicht.«

»Ich könnt ja noch 'ne zweite Strophe machen«, sage ich. »So in die Richtung:

Aber gibt's echt nur Teer?
Es gibt doch noch mehr!
Ja, genau!
Stau.«

»Na ja«, sagt das Känguru. »Würd ich weglassen.«

OPUS
MAGNUM

»Ich will aber ›Banana Joe‹ sehen«, sagt das Känguru.

»Och nee.«

»›Der Supercop‹ is aber blöd«, sagt das Känguru.

»Gar nich.«

»Jetzt halte einen Moment inne«, sagt das Känguru plötzlich todernst. »Denk noch mal ernsthaft über das Gesagte nach und dann, bei der Ehre deiner Mutter, behaupte noch einmal, dass du findest, dass ›Der Supercop‹ kein blöder Film ist.«

»Was hat denn meine Mutter damit zu tun?«

»Die Wahrheit!«, ruft das Känguru fordernd.

»Na gut«, sage ich. »Der Film ist eventuell ein bisschen blöd. Aber immer noch besser, als zum dritten Mal in einer Woche ›Banana Joe‹ anzukucken.«

»Ich finde, Filme, in denen nur Terence Hill mitspielt, sollten verboten werden.«

»Hüte deine Zunge, Beuteltier.«

»Joe Oh Banananana Joe …«, singt das Känguru.

»Okay. Wir stimmen ab«, sage ich. »Wer ist für ›Banana Joe‹?«

Das Känguru hebt seine Pfote.

»Wer ist für ›Der Supercop‹?«

Ich strecke meine Hand in die Höhe.

»Tja«, sagt das Känguru.

»Da kann man mal sehen, dass die vielgelobte Demokratie auch ihre Probleme hat«, sage ich.

»Und was machen wir jetzt?«, fragt das Känguru. »Machen wir's wie die EU und lassen einfach so oft abstimmen, bis uns das Ergebnis in den Kram passt?«

»Ist doch echt komisch, dass diese Wahlentscheidungen oft so knapp ausfallen«, wundere ich mich. »Das hat bestimmt damit zu tun, dass man immer das Gefühl hat, nur zwischen Übeln wählen zu dürfen. Aber warum, wenn sich doch theoretisch jeder zur Wahl stellen kann, stehen am Ende nur Leute zur Wahl, die man nicht wählen möchte?«

»Wenn es dich wirklich interessiert, kannst du die Antwort auf deine Frage in meinem unveröffentlichten Hauptwerk nachlesen«, sagt das Känguru, zerrt einen sehr dicken Stapel selbstbekritzelter Blätter aus seinem Beutel und drückt ihn mir in die Hand.

»Ich habe es nach den zwei Hauptriebkräften der menschlichen Gesellschaft benannt.«

»Sex, Drugs and Rock 'n' Roll?«, sage ich.

»*Zwei* Triebkräfte ...«, sagt das Känguru kopfschüttelnd.

»Da fällt mir eine Geschichte ein«, sage ich lachend. »In der Schule hatte unser Geschichtslehrer mal gefragt: ›Aus welchen Ländern bestand der Dreibund‹ und der gefragte Schüler hat geantwortet: ›Deutschland, Österreich, Italien und Bulgarien.‹«

»Ich hoffe, es war dir peinlich«, sagt das Känguru.

»Ich habe eine Woche lang Keuchhusten simuliert.«

»Mein Hauptwerk jedenfalls soll heißen: ›Opportunismus & Repression‹.«

»Macht sofort Lust, es zu lesen«, sage ich. »Klingt nach 1000 Seiten guter Laune.«

»Lies die ersten Worte«, sagt das Känguru. »Die werden

irgendwann berühmt sein. In großen Bronzelettern werden sie an den Universitäten einer zukünftigen, postkapitalistischen Gesellschaft angeschlagen werden.«

Ich schlage die erste Seite auf und lese laut vor: »Die Philosophen haben das Geld nur verschieden interpretiert; es kommt aber darauf an, es zu verplempern.«

Das Känguru hat die Worte mitgemurmelt und nickt nun zufrieden.

»Ein vielversprechender Einstieg«, sage ich. »Aber warum ist es unveröffentlicht?«

»Sagen wir, ich habe noch keinen Verlag gefunden, der den Ansprüchen des Manuskriptes genügt.«

»Ich hoffe, du hast auch Initiativablehnungen an die Verlage verschickt«, sage ich. Dann schlage ich mir mit der Hand gegen die Stirn. »Auf die Idee hätte ich mal kommen sollen …«

»Die Hälfte der Verlage gehört irgendwelchen sehr unangenehmen internationalen Großkonzernen. Und das ist der bessere Teil. Der Rest gehört Springer.«

»Mach doch einfach deinen eigenen Verlag auf«, sage ich. »Den Hüpfer-Verlag.«

»Haha. Suuuper witzig«, sagt das Känguru wenig amüsiert. »Der Ullstein-Verlag, wo der feine Herr eventuell bald veröffentlicht, gehört übrigens auch zu Springer.«

»Nicht mehr!«, sage ich. »Die Buchsparte von Ullstein hat Springer wieder verkauft. Ich hab extra bei Wikipedia nachgekuckt. Ullstein gehört jetzt irgendwelchen Dänen oder Schweden oder so. Jedenfalls Skandinavien. Die ham total hohe Sozialausgaben. Hab ich gehört.«

»Deine Frage mit den knappen Wahlentscheidungen findeste übrigens in Kapitel 11 meines Hauptwerkes beantwortet«, sagt das Känguru.

»Kapitel 11«, lese ich im Inhaltsverzeichnis. »Der Haken an der parlamentarischen Demokratie ist, dass man beim Marsch durch die Institutionen zum Arsch durch die Institutionen wird.«

»Diese Kapitelüberschrift ist mir besonders geglückt«, sagt das Känguru lächelnd.

»Und steht in deinem Werk auch drin, welchen Film wir jetzt kucken sollen?«, frage ich.

»Na klar«, sagt das Känguru. »Kapitel 47.«

Ich lese die Überschrift vor: »Filme, in denen nur Terence Hill mitspielt, sollten verboten werden.«

Aus Opportunismus & Repression

Kapitel 4: »Eine neue Hoffnung«

Alles Scheiße. Warum? Ich sag's euch, Kinder. Der Kapitalismus ist ein in jahrhundertelangem Arbeitskampf mühsam gefesseltes Monster, das Menschen frisst und Gold scheißt. Seit einigen Jahrzehnten nun sprengen die Leute, auf die das Gold geschissen wird, die Ketten des Monsters, damit es wieder mehr Menschen frisst und noch mehr Gold scheißt und man kann nur hoffen, dass diese Leute irgendwann von den herabfallenden Goldklumpen erschlagen werden ...

HIRN-
GESPINSTE

»Ich hab mal nachgedacht«, sagt das Känguru.

»Hört, hört!«, sage ich.

»Glaubst du an Schulden?«

»Hä? Fragst du mich, ob es Schulden gibt? Natürlich! Alle haben Schulden. Ob ich dran glaube oder nicht, ist doch irrelevant.«

»Nee. Ganz im Gegenteil«, sagt das Känguru. »Das ist irre relevant. Schulden sind ja nix Reales, also weißt du, wie ein Haus oder 'ne Käsestulle. Sondern sind ja nur 'ne Absprache, sind nur im Kopf, verstehste?«

»Hm.«

»Kuck«, sagt das Känguru. »Ich schulde dir noch 4,95.«

»Für die Wasserpistole, die Science-Fiction-Geräusche macht?«

»Ja, für die Wasserpistole, die Science-Fiction-Geräusche macht.«

»Piu, piu, piu«, imitiere ich einem seltsamen Impuls folgend die Geräusche.

»Und jetzt tun wir beide einfach so, als würde ich dir nix schulden«, sagt das Känguru. »Und piu, piu, piu. Jetzt schulde ich dir nichts mehr.«

Ein paar Sekunden blicke ich stumm das Känguru an.

»Aha«, sage ich.

»Schulden sind ein bisschen wie Gott«, sagt das Känguru.

»Wenn man nicht dran glaubt, muss man sie nicht fürchten.«

»Noch mal zum Mitschreiben«, sage ich. »Du behauptest jetzt also, dass du mir gar keine 4,95 schuldest?«

»Genau«, sagt das Känguru. »Und wenn jetzt zum Beispiel alle so tun würden, als hätte Berlin keine Schulden mehr, dann hätte Berlin auch keine Schulden mehr.«

»Ja«, sage ich, »aber warum sollten das die Gläubiger tun?«

»Das ist das Schöne daran«, sagt das Känguru. »Es reicht, wenn's die Schuldner tun. Wenn sich die alle einig sind – das wären dann nämlich ungefähr 99,9 Prozent der Weltbevölkerung –, könnten die Gläubiger kommen und sagen: ›Ey, ihr habt Schulden bei uns‹, und wir stellen uns einfach dumm und sagen: ›Weiß ich nix von .. ‹«

»Hm«, sage ich.

»Und jetzt stell dir vor, wenn einfach alle so tun würden, als hätte keiner mehr Schulden. Dann gäbe es keine Schulden mehr. Das ist doch irre. Da lässt man die Leute verhungern und erfrieren, aber nicht weil's an Häusern oder Käsestullen mangelt, sondern nur wegen Hirngespinsten.«

»Ja, aber wenn man deinen Vorschlag in die Tat umsetzt, dann würde, glaub ich, das ganze Weltwirtschaftssystem zusammenbrechen«, sage ich.

»Umso besser«, sagt das Känguru. »Taugt eh nix.«

LiNKS
VOR
RECHTS

Das Känguru hatte angeboten, mich zu meinem Auftritt in einem Dorf irgendwo in Brandenburg zu fahren. Es hat meine Kreditkarte genommen, und den dicksten Geländewagen gemietet, den es auftreiben konnte. Hinter dem Steuer macht es einen sehr angestrengten Eindruck und hat nun schon zum dritten Mal abrupt die Straße verlassen, oder sagen wir lieber die Matschtrasse, von der das Känguru behauptete, sie sei eine Abkürzung zur Autobahn.

»Was ist denn los?«, frage ich das Känguru.

»Ich kann nicht Auto fahren«, sagt es.

»Was?«, frage ich.

»Ich habe meine Führerscheinprüfung abgebrochen, weil ich rechts vor links nicht akzeptieren wollte.«

»Wie?«

»Warum rechts vor links? Warum nicht links vor rechts? Sogar in Australien gibt's links vor rechts, und das Heimatland meiner Vorfahren kann sich sonst nicht gerade einer sehr fortschrittlichen Politik rühmen.«

»Was?«

»Da muss man doch mal drüber reden.«

»Wie?«

»Ich meine, wenn wir eins aus der Frauenbewegung gelernt haben, dann ist es doch, dass sich Unterdrückungsmuster schon in der Sprache manifestieren.«

»Was?«

»Liebe LeserInnen«, sagt das Känguru mit großem I.

»Wie?«

»Hast du'n Hänger?«, fragt das Känguru, während es mit immer größerer Geschwindigkeit über die Moto-Cross-Piste heizt. »Soll ich dir mal auf den Hinterkopf hauen?«

»Was?«

Das Känguru haut mir auf den Hinterkopf.

»Ey!«, sage ich.

»Dekonstruktivismus«, sagt das Känguru.

»Kenn ich«, sage ich.

»Na also. Rechts vor links. Das ist ein reaktionärkonservatives Unterdrückungsmuster, manifestiert in der StVO.«

»Was?«

»Ich mein: Warum rechts vor links? Warum nicht links vor rechts? Warum?«

»Weiß nicht«, sage ich.

»Das hat mein Fahrlehrer auch gesagt. Das konnte ich so nicht akzeptieren. Da bin ich trotzdem zuerst gefahren.«

»Konsequent«, sage ich.

»Ich meine, warum heißt es recht haben und nicht link haben?«

»Hm«, sage ich.

»Warum ist ein rechtes Ding positiv konnotiert und ein linkes Ding negativ?«

»Hm.«

»Warum spricht ein Richter nicht Link?«

»Hm.«

»Wahrscheinlich weil er ein rechter Sack ist«, sagt das Känguru und bekommt gerade noch so die Kurve.

»Möglich«, sage ich. »Trotzdem will ich jetzt fahren.«

THEODIZEE

»Grüß Gott«, sagt das Känguru.

»Ja sicher«, sage ich. »Wenn ich ihn das nächste Mal beim unglaublichen Hulk auf einen Kaffee treffe – im Phantasiereich!«

»Glaubste nich mehr an Gott und Jesus und so?«, fragt das Känguru.

»Nee«, sage ich. »Jesus ist für mich gestorben.«

»Nicht nur für dich«, sagt das Känguru. »Für uns alle. Für uns arme Sünder.«

»Seit wann bist du denn gläubig?«, frage ich. »Ich dachte, du glaubst nur an drei Mahlzeiten pro Tag und 'nen leckeren Nachtisch.«

»Seit gestern«, sagt das Känguru. »Ich hatte einen besonders miesen Tag – ich erspare dir die Details –, aber plötzlich, im Wartesaal des Bürgerbüros, hatte ich eine Erleuchtung.«

»Wer ist dir erschienen?«, frage ich. »Simon der Stempler?«

»Quatsch. Keine Vision. Eine Erleuchtung. Ich hab was kapiert. Ich dachte immer, es kann unmöglich einen Gott geben, bei all dem Übel in der Welt … Aber vielleicht gibt es die ganzen Übel ja gerade, weil es einen Gott gibt. Ja. Vielleicht, vielleicht nämlich ist Gott einfach nur kein besonders netter Typ. Es könnte doch sein, dass Gott gar kein DJ ist, sondern ein Arschloch«, sagt das Känguru.

»Wahrscheinlich ist er sogar beides«, sage ich. »Ein DJ,

86

der auf einem Kindergeburtstag die ganze Zeit nur Rammstein spielt.«

»Exactemento«, sagt das Känguru. »Du kennst doch bestimmt den Spruch, dass Gott die Menschen nach seinem Ebenbild geschaffen hat. Kuck dich mal um! Wenn man davon ausgeht, dass Gott ein Arschloch ist, ergibt das plötzlich mächtig viel Sinn.«

»Allerdings«, sage ich grübelnd.

»Oder nimm die Klimakatastrophe«, sagt das Känguru. »Den armen Ländern drohen Dürre, Überschwemmungen, Tod und Verderben, und uns Verursacher erwartet: besseres Wetter. Zufall? Nein. Ein schlechter Witz eines hämischen Schöpfers. Haste die Bibel gelesen?«

»Na ja«, sage ich. »So halb. Die beste Lektüre, um jemanden zum Atheisten zu machen.«

»Genau. Völlig unglaubwürdiges Machwerk. Aber nur wenn man davon ausgeht, dass Gott ein Guter ist.«

»Du meinst, man müsste die Bibel noch mal neu lesen«, frage ich, »als großen Schurkenroman?«

»Ich meine nur: ›Das Schweigen der Lämmer‹ würde dir auch komisch vorkommen, wenn du mit dem festen Ansatz an das Buch rangehst, bei Hannibal Lecter handle es sich um den Guten.«

»Hm«, sage ich. »Ich verstehe.«

»Kuck ma«, sagt das Känguru. »Da stellt sich einer ein goldenes Kalb in seinen Garten. Schlechter Geschmack, keine Frage. Aber nur ein Sadist verhängt dafür eine Strafe wie 40 Jahre in der Wüste rumgurken. Oder so Sachen wie Hosea 14,1: *Samaria wird wüst werden; denn es ist seinem Gott ungehorsam. Sie sollen durchs Schwert fallen und ihre kleinen Kinder zerschmettert und ihre schwangeren Weiber aufgeschlitzt werden.*

Ich denke, der Fall ist klar.«

»Und nu?«, frage ich. Das Känguru zuckt mit den Schultern.

»Kann man nix machen«, sagt es. »Ist ja allmächtig, der Typ.« Es zuckt mit den Schultern. »Aber ich werde immerhin nie mehr nach dem Warum fragen müssen.«

In diesem Moment kackt dem Känguru eine Taube auf den Kopf.

Es reckt seine Faust gen Himmel und ruft: »Ich weiß Bescheid!«

Aus Opportunismus & Repression

Kapitel 6: »Gott ist kein DJ«

...überliefert ist die Geschichte, dass Johannes Paul II. während eines Besuches in Peru 1985 von einer Gruppe Indigenas die Bibel zurückgegeben wurde, weil sie in fünf Jahrhunderten ihr Versprechen von Liebe, Frieden und Gerechtigkeit nicht eingelöst habe. Nicht bekannt ist allerdings, ob der Papst unter Hinweis auf das schon längst abgelaufene 14-Tage-Rückgaberecht die Annahme verweigerte...

GANZ
KLEINES
TENNIS

»Jetzt bin ich wieder dran!«, sage ich und versuche dem Känguru das Handy zu entreißen. Es hüpft zwei Schritte, dreht mir den Rücken zu und spielt dann weiter.

»Das ist mein Handy!«, rufe ich. »Ich muss meinen Tennis-Character weiterentwickeln, damit ich auch bei Speed 10 Punkte bekomme!«

»Ey, lass mich!«, sagt das Känguru.

Ich werde gleich total böse. Wenn es wenigstens Tennis spielen würde, aber nein, es spielt Minigolf.

»Wer spielt denn schon Minigolf auf einem Handy?!«, rufe ich. »Das ist doch krank! KRANK!«

Dabei stürze ich mich auf das Känguru, treffe geschickt seine rechte Pfote und das Telefon segelt durch die Luft.

»Warum schreibst du eigentlich deine Geschichten immer im Präsens?«, fragt das Känguru plötzlich.

»Was?«, frage ich.

»Na, du schreibst immer im Präsens, aber in der Schule haste das bestimmt anders gelernt.«

»Ach so«, sage ich. »Na, ich find das gut. Das is so direkter. Da is man gleich so mittendrin statt nur dabei.«

»Aha«, sagt das Känguru.

»Ich konnte auch anders!«, sagte ich. »Imperfekt!«

»Kann ja jeder!«, sagte das Känguru. »Konnte. Mein ich. Meinte ich.«

89

»Ich könnte alles!«, würde ich sagen. »Konjunktiv!«

»Doppeltes Plusquamperfekt?«, hatte das Känguru gefragt gehabt.

»Ich werde sogar Futur zwei gekonnt haben!«

»Futur zwei?«, wird das Känguru gefragt haben, aber in Wirklichkeit wird es nur versucht haben mich abzulenken, um heimlich das Handy zu klauen.

»Wage es, das Handy auch nur angerührt gehabt gehat zu haben, du Minigolfnazi!«, würde ich geschrien gehabt gehatten.

»Was soll'n das für 'ne Zeit sein?«, fragt das Känguru.

»Das is die Zeit, wo ich dir eins in die Fresse hau und mir mein Handy zurückhole«, rufe ich.

ELFUND-
ZWANZIG

»Das was du über Gott rausgefunden hast, ham se nich ausgestrahlt«, sage ich.

»Dass er 'n Arsch ist?«, fragt das Känguru.

»Ja.«

»Hamse im Radio nicht ausgestrahlt?«

»Nee.«

»So was«, sagt das Känguru wenig überrascht.

»Im Nachhinein finde ich es gar nicht so schlimm«, sage ich. »Weißte, mit den Verrückten kann man ja so schlecht reden.«

»Denen im Sender?«, fragt das Känguru.

»Nee«, sage ich. »Mit denen, die so«, ich mache etwas wirre Handbewegungen, »... glauben.«

Das Känguru schnabuliert die letzte Schnapspraline aus der Packung auf dem Tisch.

»Weil, die kommen dann so an und sagen: ›Hey! Du! Du hast das Wesen beleidigt, an das ich glaube.‹ Und dann kannst du noch so oft sagen: ›Ja, das stimmt, aber es ist ja so, dass es das Wesen gar nicht gibt, und deswegen ist das ja gar nich so schlimm‹«, fahre ich fort. »Bringt nix. Für Argumente sind die nicht zugänglich.«

»Die denken halt nicht«, sagt das Känguru. »Die glauben.«

»Genau«, sage ich, »so wie meine Schwester, die früher auf die Frage ›Was ist 10+2?‹ immer geantwortet hat: ›Ich glaube

91

elfundzwanzig.‹ Das ist zwar total niedlich, aber, aber – halt falsch.«

»Der Unterschied is nur: Deine Schwester hat wahrscheinlich nie jemanden geköpft oder auf dem Scheiterhaufen verbrannt, der zu ihr gesagt hat: ›Elfundzwanzig gibt's gar nicht‹«, sagt das Känguru.

»Nee. Da war die noch zu klein für«, sage ich.

Das Känguru nickt.

»Bin wirklich froh, dass die das nicht ausgestrahlt haben«, sage ich noch mal, um mir selbst meine Meinung zu bestätigen. »Drehen ja grad alle am Rad. Deswegen hätte bestimmt so ein religiöser Mob, in den Südstaaten der USA oder in Saudi-Arabien, deutsche Flaggen verbrannt.«

»Oder belgische«, sagt das Känguru. »Falls keine deutschen zur Hand wären.«

»Was ich aber nicht verstehe, ist: Die sagen zwar, sie glauben an das Wesen, aber so richtig trauen sie der Sache dann doch nicht, weil, weißte, wenn jetzt zum Beispiel jemand dich beleidigt. Dann haue ich dem ja nicht dafür in die Fresse. Da petz ich dir das einfach und du kümmerst dich selber drum. Oder halt nicht.«

»Klar.«

»So wie damals. Als Fichte, der alte Atheist, vor der Kirche nach Berlin geflohen ist. Da hat der Bischof oder so an Friedrich den Großen geschrieben, er soll den wieder rausrücken, und selbiger Friedrich hat zurückgeschrieben: ›Wenn Gott ein Problem mit Fichte hat, soll Gott das mit ihm klären.‹ Das find ich 'ne lässige Einstellung.«

»Fichte und Friedrich … Passt das zeitlich?«

»Schnuppe«, sage ich. »Die Geschichte ist gut.«

Das Känguru betrachtet enttäuscht die leere Pralinenpackung.

»Andererseits kann ich's auch wieder nachvollziehen«, sage ich, »weil, weißte, wenn du mit so was aufgewachsen bist und denkst, das ist ein Teil von dir, und dann kommt jemand und greift das an, da fühlt man sich gleich selbst angegriffen. Bei mir ist das so mit ›Star Wars‹. Wenn da einer ankommt und über die neuen Episoden lästert, dann kann ich das auf 'ner Vernunftebene vielleicht sogar noch nachvollziehen, bin aber trotzdem total pissig.«

»Ehrlich?«, fragt das Känguru. »Diese Scheiße würdest du verteidigen? Jar Jar Binks? Jake Lloyd? Diese unfassbar dumme Romanze im zweiten Teil? Und im dritten …«

Ich nehme mein Lichtschwert von der Wand.

»En garde!«, rufe ich.

Das Känguru verdreht die Augen.

»Ernsthaft?«, fragt es.

»Todernst.«

»Das ist nur ein leuchtendes Plastikschwert«, sagt das Känguru, »du kannst mich damit nicht … Aua! Aua! Lass das!«

Aus Opportunismus & Repression

Kapitel 6: »Gott ist kein DJ«

…Gottfried Wilhelm Leibniz behauptete, da Gott allmächtig, allwissend und allgütig sei, müssen wir wohl in der besten aller möglichen Welten leben. Dass dies ja wohl der totale Schwachsinn ist, befand schon der alte Voltaire, und deswegen ist Leibniz in unserer Zeit hauptsächlich wegen seiner leckeren Butterkekse bekannt und weniger wegen seiner Philosophie …

SHOULD i
STAY OR
SHOULD i GO?

15:10

Zehn Minuten zu spät komme ich am verabredeten Treff-
punkt vor dem U-Bahnhof an. Vom Känguru keine Spur.
Puh. Glück gehabt. Sonst hätte es wieder gemeckert. Erst mal
verschnaufen. Ich habe ziemlich gute Laune. Ein Straßenmusikant sitzt zwei Meter neben mir auf einer kleinen Mauer
und spielt »Don't worry, be happy«. Genau. Richtige Einstellung. Ich pfeife mit und lasse meine Blicke durch die Gegend
schweifen.

15:25

Noch immer kein Känguru. Laune okay. Habe aufgehört zu
pfeifen. Kucke leicht genervt auf mein Handy. Keine SMS.
Weigere mich aber, beim Känguru anzurufen. Zu teuer.[1] Der
Musikant spielt zum dritten Mal »Don't worry, be happy«.
Gelegentliche Seufzer, begleitet von einem Kopfschütteln.

15:35

Laune mäßig. Seufzfrequenz deutlich erhöht. Dritter erfolgloser Anruf beim Känguru. »Bitte haben Sie noch einen
Augenblick Geduld. Das nächste freie Känguru ist für Sie

---

1 Nur 0,69 €/Min. aus dem dt. Festnetz, für Anrufe aus Mobilfunknet-
zen können abweichende Preise gelten. (Anm. d. Kängurus)

reserviert.« Kicke kleine Steine umher. Der Musikant beginnt ein neues Lied. Es ist schon wieder »Don't worry, be happy«. Anscheinend kann er nur ein Lied spielen, und nicht mal von dem kennt er den kompletten Text.

15:40
Laune schlecht. Fluche laut vor mich hin. Trete große Steine durch die Gegend. Treffe ein Auto, dessen Alarmanlage angeht.

15:43
Extrem schlechte Laune. Pöble Passanten an: »Was kuckst du so blöd?« Die Alarmanlage heult immer noch. Ein Mädchen drückt mir ihre benutzte Fahrkarte in die Hand. Sechsundzwanzigster erfolgloser Anruf beim Känguru. Schreie das Auto an. Es soll die Schnauze halten! Schlage mit der Faust auf die Motorhaube. Hat nicht den gewünschten, sondern einen gegenteiligen Effekt.

15:45
Neununddreißigster erfolgloser Anruf beim Känguru. Die apokalyptischen Reiter sind wahre Frohnaturen verglichen mit mir. Schreie den Musikanten an: »Es heißt nicht ›ain't got no cash, ain't got no smile‹ – es heißt ›style‹. Style. Verstehst du? Keinen Stil! So wie du! Spiel doch mal was anderes! Was Passendes: Zum Beispiel ›Should I stay or should I go now?‹«

15:46
Es fängt an zu nieseln. Den Nächsten, der mich fragt, ob er mir helfen kann, erwürge ich. Ich werde jetzt gehen. Aber vorher werde ich noch dieses heulende Auto kaputtschlagen! Ich hole mit dem Pflasterstein aus. Mein Handy klingelt.

»Kein Grund, sich so aufzuregen. Jeder kommt doch mal zu spät.« Ich halte inne. »Kein Grund, sich so aufzuregen. Jeder ...«

Diese verfluchten kritischen Klingeltöne. Missmutig nehme ich das Gespräch an.

»Bist du schon da?«, fragt das Känguru.

»Nein«, sage ich mit zusammengebissenen Zähnen. »Ich bin noch gar nicht losgegangen.«

»Witzig«, sagt das Känguru. »Ich auch nicht.«

»NATÜRLICH BIN ICH SCHON DA! ICH WARTE SEIT EINER EWIGKEIT AUF DICH!«, schreie ich.

»Ich geh sofort demnächst bald gleich los«, sagt das Känguru. »Bis denn. Halbe Stunde. Vierzig Minuten. So was.«

Dann legt es auf. Ein Blitz zuckt am Himmel. Es donnert. Ohne weitere Umschweife beginnt es zu schütten wie im Regenwald.

Ich bekomme eine SMS: »Es regnet. Ich glaub, ich bleib lieber zu Hause. Kannst du alleine einkaufen gehen? lg K.«

»Here's a little song I wrote. You might want to sing it note for note.«

Böse blicke ich zu dem Hippie.

Ich bekomme noch eine SMS: »Schnapspralinen.«

Ich mutiere. Der Straßenmusikant bekommt Angst, lässt sein Instrument fallen und rennt davon. Ich nehme die Gitarre, schlage damit auf das jaulende Auto ein und schreie dabei: »DON'T WORRY, BE HAPPY!«

Dann gehe ich einkaufen.

DIE ESSENZ DES HEGEL'SCHEN GESAMTWERKES

»Das kennt es auch wieder nicht!«, sage ich. »Relevanz. Kennt mein Handy nicht.«

»Skandal«, sagt das Känguru.

»Nee. Skandal geht. Aber Worte von Relevanz ...«

»Wie Relevanz«, sagt das Känguru.

Meine Gedanken machen eine Pause. Das Känguru wartet kurz, dann sagt es: »Geht nicht.«

»Nee. Geht nicht«, sage ich. »Muss man ohne Schreibhilfe verfassen.«

»Und welches Thema könnte wohl so relevant sein, dass man in einer SMS Worte wie Relevanz benutzen möchte?«

»Ich führe mit einem Typ, den ich in der U-Bahn kennengelernt habe, einen Diskurs über die Dialektik bei Hegel.«

»Per SMS?«, fragt das Känguru.

»Das ist gar nicht so schlecht«, sage ich und tippe weiter. »Man ist gezwungen, sich kurzzufassen und hat schön lang Zeit, sich eine Antwort zu überlegen. Arrrg ...«

Wütend stampfe ich mit dem Fuß auf den Boden.

»Auch weil man dem doofen Gerät jedes zweite Wort buchstabieren muss«, fluche ich. »Kognitiv! Kennt es nicht.«

»Was willst du denn schreiben?«, fragt das Känguru.

»Dass die kognitiven Potenzen extraordinäre Relevanz für die Dialektik haben.«

»Ersetz die Fachbegriffe doch einfach durch normale Worte.«

»Das ist aber schwierig. Okay. Kognitiv mit denkend, Relevanz ist auch klar. Aber wie soll ich denn ein Wort wie Dialektik, das alles und nichts bedeuten kann, in verständliches Deutsch übersetzen?«

»Lass es einfach weg«, sagt das Känguru. »Dialektik ist meines Erachtens eh nur eine philosophische Luftblase.«

Ich tippe. »Was haste jetzt geschrieben?«

»›Denken ist wichtig‹«, sage ich. »Das klingt doch total banal.«

»Aber es ist im Prinzip das, was du sagen wolltest, oder nicht?«

»Ja«, sage ich und staune. »Wahnsinn. Hegel hat ja angeblich auf seinem Totenbett geklagt, dass sein Werk nur ein Mensch verstanden hätte, und der nicht richtig. Dabei könnte man wahrscheinlich die Essenz des Hegel'schen Gesamtwerkes in eine SMS packen.«

Das Känguru dichtet:

»Ich, Hegel, bin der Weltgeist, bin sehr schlau,
nur warum … Das versteht keiner so genau.«

»Sehr gut!«, sage ich und tippe des Kängurus Gedicht in mein Handy.

»Entschuldigen Sie bitte«, sagt der Mann im Kinosessel vor uns. »Könnten Sie nicht wenigstens die Tastentöne ausmachen?«

HERRSCHAFT UND KNECHTSCHAFT

»So eine Frechheit!«, schreie ich.

»Ruhig Blut«, sagt das Känguru.

»Ruhig Blut?«, frage ich. »Ruhig Blut?«, schreie ich. »Ich hasse es, wenn mir Geräte etwas verbieten!«

»Was ist denn los?«

»Dieser bekackte DVD-Player zwingt mich, diesen Antiraubkopierer-Spot anzukucken. Hier! Er erlaubt mir nicht vorzuspulen. Siehste das kleine Verbotsschild, das er einblendet?«

»Ja. Und?«

»Ich wiederhole noch mal die Fakten: Das Scheißgerät, das ich von meinem Geld gekauft habe, das in meiner Wohnung steht, das meinem Vergnügen dienen soll, besitzt die Unverfrorenheit, mir, mir, seinem Herrn und Meister, etwas zu verbieten! Es zwingt mich widerliche Industriepropaganda anzukucken.«

»Flippst du jetzt wieder so aus wie damals, als dein Notebook dir gesagt hat, du hättest nicht die nötigen Administrator-Rechte, um es auszuschalten?«, fragt das Känguru.

»Boah! Das hat mich wütend gemacht!«, schreie ich. »Ich glaube, ich war noch nie so wütend in meinem ganzen Leben!«

Ich hatte damals gleich den Stecker gezogen, um das Herrschafts-Knechtschafts-Verhältnis[2] wieder geradezurücken. Allerdings schaltete das Gerät nur auf Akkubetrieb um. Und als ich den Akku herausgerissen hatte, musste ich feststellen, dass es noch einen internen Akku besitzt.

»Du hast das Gerät zwei Stunden lang aufs Wüsteste beschimpft, bis der interne Akku endlich aufgegeben hat«, sagt das Känguru.

»Ja. Ha! Welch ein Triumph«, rufe ich. »Einer der schönsten Momente meines Lebens.«

»Durch Internetpiraterie werden täglich Arbeitsplätze vernichtet. Wenn Sie wollen, dass es auch morgen noch Entertainmentprodukte gibt, bleiben Sie bei den Originalen aus legaler Quelle«, versucht mich mein DVD-Player derweil für dumm zu verkaufen.

»Wenn ich doch nur wüsste, dass ich durch das Downloaden von Filmen die Entertainmentbranche zerschlagen könnte«, sage ich. »Ich würde ziehen ohne Ende«, schreie ich.

»Melden Sie Raubkopierer der Gesellschaft zur Verfolgung von Urheberrechtsverletzungen! GVU – In the frontline to protect copyright!«

»Liebe GVU«, sagt das Känguru mit Kinderstimme, »meine Mama hat gestern eine Kassette vom Radio aufgenommen. Sosehr es mich schmerzt sie anzuzeigen, empfinde ich es als meine Bürgerpflicht der Unterhaltungsindustrie gegenüber,

---

2   »... so sind sie als zwei entgegengesetzte Gestalten des Bewusstseins; die eine das selbständige, welchem das Fürsichsein, die andere das unselbständige, dem das Leben oder das Sein für ein anderes das Wesen ist; jenes ist der Herr, dies der Knecht.« Aus G. W. F. Hegel, Phänomenologie des Geistes, Kapitel: Selbständigkeit und Unselbständigkeit des Selbstbewusstseins; Herrschaft und Knechtschaft. (Anm. d. Kängurus)

möchte ich doch auch in Zukunft noch die Schlümpfe sehen können.«

»Und dass neuerdings jedes Scheißgerät denkt, es dürfe sich die Zeit nehmen, erst hochzufahren!«, schreie ich. »Letztens hatte ich ein E-Piano, das erst drei Minuten booten musste.«

»Und die nächste Generation von E-Pianos wird dir verbieten, deine neuen Lieder zu spielen, wenn du sie nicht bei der GEMA registriert hast«, sagt das Känguru. »Aber denk einfach daran, dass das Leute sind, die mit dem Rücken zur Wand stehen.«

»Hä?«, frage ich.

»Pass auf«, sagt das Känguru. »Ich hab auch mal ein Gedicht gemacht:

Die Labelchefs

Jetzt sitzen sie hier mit ihren Kippen und flennen,
weil alle nur noch rippen und brennen.«

Ich reiße die Kabel des DVD-Players aus dem Fernseher.

»Was machst du da?«, fragt das Känguru.

»Ich schließe den Videorecorder wieder an«, sage ich. »Wenn ich eines aus ›Battlestar Galactica‹ gelernt habe, dann, äh, dass man, äh, nee. Hm.«

Ich denke nach.

»Was?«, fragt das Känguru.

»Hab doch nix gelernt«, sage ich.

URSPRÜNGLICHE
AKKUMULATION

Wir stehen am Hauptbahnhof. Das Känguru muss mal. Ich muss auch. Allerdings nicht aufs Klo, sondern nur davor warten. Nach einer Minute kommt das Känguru zurück.

»Ist dir klar, dass die meisten Krisentheorien des Kapitalismus, die den baldigen Zusammenbruch vorhersagen, daran kranken, dass sie unterschätzen, wie viele einst wertfreie Bereiche des gesellschaftlichen Zusammenlebens noch der kapitalistischen Verwertungskette anheimfallen können, um solchermaßen die Krisentendenzen durch eine quasi erneute ursprüngliche Akkumulation abzuschwächen?«, fragt das Känguru.

Ich seufze.

»Brauchste Geld fürs Klo?«, frage ich.

»Ich sehe, wir verstehen uns.«

KONTROLLE

Wir rattern gemütlich in einem alten Zug über die deutsch-österreichische Grenze zurück nach Hause. Ich hatte einen Auftritt in Wien. Das Känguru hat mich begleitet, weil es so auf Schnitzel steht.

Plötzlich wird unsere Abteiltür recht unwirsch aufgerissen.

»Polizeikontrolle! Zeigen Sie mal Ihre Ausweise«, verlangt ein Mann mit stark alpinem Akzent.

»Zeigen Sie doch mal Ihren Ausweis!«, sagt das Känguru und legt seine Mau-Mau-Karten zur Seite. »Kann ja jeder hier durch den Zug laufen, unfreundlich sein und behaupten, er sei Polizist. Dabei ist Unfreundlichkeit anscheinend eine notwendige, aber doch keinesfalls hinreichende Bedingung.«

»Wie bitte?«, fragt der Mann verwirrt.

»Nun, sehen Sie …«, versuche ich zu erklären und lege ebenfalls meine Karten beiseite, »… zum Beispiel das Känguru hier ist oft sehr unfreundlich, deswegen ist es ja aber noch lange nicht Polizist.«

»Ich verstehe immer noch nicht.«

»Na, wenn ich mir Sie so ankucke«, sage ich, »würde ich behaupten, es ist zu clever …«

»Jetzt stellen Sie mal den Tratsch ein und zeigen mir Ihren Ausweis!«, sagt das Känguru. »Ich habe nicht den ganzen Tag Zeit.«

Der Polizist kramt in seinen Taschen.

»Einen Moment. Gleich hab ich ihn. Der muss hier irgendwo sein. Ich bin mir ganz sicher, dass ich den eingesteckt habe …«

Das Känguru rollt mit den Augen, blickt verärgert auf sein Handgelenk und seufzt dabei genervt. Es hat zwar gar keine Uhr um, aber die Geste erfüllt trotzdem ihren Zweck.

»Das gibt's doch gar nicht«, sagt der Mann. »Ich war mir sicher, den hier in der Innentasche, also normalerweise habe ich den immer hier in der Innentasche …«

»Ja, ja«, sagt das Känguru. »Hören Sie auf, hier Märchen zu erzählen. Verloren, zu Hause vergessen, der Hund hat ihn gefressen … Was glauben Sie, wie oft ich mir das schon anhören musste.«

»Was wollen Sie überhaupt überprüfen?«, frage ich. »Ob hier jemand Mozartkugeln schmuggelt?«

»Ja! Ich gestehe!«, schreit das Känguru. »Ich habe ein Wiener Schnitzel in meinem Beutel versteckt!«

»Hier!«, ruft der Mann plötzlich erlöst. »Ich habe ihn gefunden!«, und er zeigt uns seinen Dienstausweis.

»Na bitte!«, sagt das Känguru. »Geht doch. Warum nicht gleich so. Und nächstes Mal, junger Mann, halten Sie Ihren Ausweis griffbereit. Zeit ist Geld. Geld ist knapp.«

»Nächstes Mal können wir Sie nämlich nicht so glimpflich davonkommen lassen«, füge ich noch hinzu, während das Känguru unwirsch die Abteiltür zwischen uns und dem Beamten wieder schließt.

»Mao«, sagt das Känguru.

»Ey! Des waren meine Karten!«, sage ich. »Dein Stapel war der große. Außerdem heißt es nicht Mao, sondern Mau.«

PLATOON

Wir schleichen durch den Dschungel. Langsam. Vorsichtig. Lautlos. Fast lautlos. Unter den Stiefeln des Soldaten vor mir knacken Äste. Das Blattwerk raschelt. Mit lautem Geschrei fliegen aufgeschreckte Vögel davon. Unheimliche, nie zuvor gehörte Laute dringen an meine Ohren. U-U-A-A-A-A – von hinten rechts nach vorne links. Wir sind müde, kraftlos, ausgezehrt. Wir kennen nur noch ein Gefühl: Angst. Alles dreht sich um mich. Mir schwindelt.

Ganz plötzlich greift der Feind an. Nur mit einem Messer bewaffnet und einem Stirnband um den Kopf springt er aus einem Hinterhalt. Bevor auch nur ein Schuss gefallen ist, hat er zwei von uns aufgeschlitzt und ist mit großen Sätzen wieder verschwunden. Die anderen stehen unter Schock, haben nichts Genaues erkennen können, aber ich, ich möchte schwören, dass es ein Känguru war …

Ein Vogel kreischt: U-U-A-A-A-A.

Wie erstarrt steht unser Platoon da, bis unser Platoon Leader anfängt zu brüllen und wild um sich schießend ins Dickicht rennt. Wachgerüttelt folgen ihm die anderen unter ebenso irrem Kriegsgeheul. Auch ich renne los. Als ich endlich wieder zu Sinnen komme, bemerke ich, dass ich allein bin. Nein. Nur alleingelassen. Nicht allein … Ich drehe mich im Kreis. Überall – oben, unten, auf allen Seiten – nur undurchdringliches Grün. Plötzlich vernehme ich ein verdächtiges Geräusch in den Bäumen über mir. Ich reiße mein Gewehr in die Luft, drücke auf den Abzug. Nichts passiert. Ladehemmung. Hinter mir kracht es. Ich spüre ein Messer an meiner Kehle. Ich schreie …

… und wache auf. Das Känguru sitzt auf einem Stuhl neben meinem Bett und beobachtet mich. Keuchend richte ich mich auf.

»Was machst du denn hier?«, frage ich.

»Ich konnte nicht schlafen«, sagt das Känguru.

»Und da hast du gedacht, du kommst rüber und kuckst mir beim Schlafen zu?«, frage ich. »Das find ich ganz schön psycho.«

»Du hast so geschrien«, sagt das Känguru.

»Warum hast du mich nicht geweckt?«

»Ich wollte rauskriegen, wovon du träumst.«

»Von dir!«, sage ich. »Von Vietnam.«

Ich erzähle dem Känguru meinen Traum.

»Hat dich mein Angriff also völlig überrascht?«, fragt das Känguru zufrieden nickend.

»Von wegen«, sage ich. »Auf 'ner Metaebene hab ich schon die ganze Zeit gewusst, dass du da oben in den Bäumen sitzt. Weil die Kamera immer wieder so verdächtig durch die Blätter auf mich runter gelinst hat. Und dann gab's den klassischen Schnitt auf mein Gesicht. Close-up …«

»Die Kamera?«, unterbricht mich das Känguru.

»Ja, klar«, sage ich. »Meine Träume sind geschnitten. Wie ein Film. Deine etwa nicht?«

»Hab ich noch nie drüber nachgedacht«, sagt das Känguru.

»Ich träume in Kamerafahrten und Zooms. Da gibt's Fadeouts, Überblendungen und seit ›Matrix‹ natürlich immer wieder Bullet-time-Aufnahmen. Und manchmal weiß ich dann halt schon durch die Art, wie das geschnitten ist, was gleich passiert.«

»Irre«, sagt das Känguru.

»Zum Beispiel, die eine Stelle, bevor du das erste Mal angegriffen hast. Da gab's auf der Audiospur dieses Vogelgeräusch: U-U-A-A-A-A. Und zwar von hinten links nach vorne rechts. Also quasi von der rechten Surround-Box zum front-left-speaker. Und dazu hat die Kamera so 'ne Ballhaus-'sche 360-Grad-Drehung um die Kompanie gemacht. Kannstes dir vorstellen?«

»Ja«, sagt das Känguru. »Ziemlich gut sogar.«

»So wie die Szene angelegt war, wusste ich schon, dass gleich was Schlimmes geschieht.«

»Solche Imaginationshilfen könnteste auch mal in deinen Geschichten benutzen«, sagt das Känguru. »Fände ich gut, wenn du dich da den modernen Rezeptionsgewohnheiten anpasst. Dann würden die Storys vielleicht ein wenig lebendiger rüberkommen.«

CLOSE-UP: Ich blinzele.

CLOSE-UP: Das Känguru blinzelt.

CLOSE-UP: »Hm«, sage ich.

HALBTOTALE: Ich sitze im Bett. Das Känguru sitzt auf einem Stuhl daneben.

FADE-OUT

PANDORAS
NEUE
GESCHENKE

»Kuck mal«, sage ich. »Hier im Internet steht's. Georg Büchner ist mit dreiundzwanzig gestorben, hat drei bahnbrechende Theaterstücke geschrieben, war Doktor der Medizin und musste als gesuchter Revolutionär seine Heimat verlassen. Dreiundzwanzig. Dieser Arsch. Wie hat der das gemacht? Wo hat er die Zeit dafür hergenommen?«

»Du musst bedenken«, sagt das Känguru, »der konnte damals nicht seinen Namen googlen, konnte nicht bei ›DSDS‹ abstimmen, musste sich nicht um seine Facebook-Freunde kümmern, und E-Mails gab's damals auch noch nicht. Da musste man die Zeit halt anderweitig totschlagen.«

»Du hast recht!«, sage ich und klappe mein Notebook zu. »Dieses Scheißgerät hier klaut mir meine Zeit. Es sind drei Stunden vergangen, seit ich das Ding angemacht habe, und was habe ich getan? Ich weiß es nicht mehr. Ja, klar. Ich kann in den Browser-Verlauf kucken, aber das erklärt noch immer nicht, warum ich das getan habe. Warum habe ich mir 'ne halbe Stunde Meinungen von Leuten, die ich nicht kenne, über einen Film, der mich nicht interessiert, durchgelesen?«

»Ja, ja«, sagt das Känguru. »Das Tolle am Internet ist, dass endlich jeder der ganzen Welt seine Meinung mitteilen kann. Das Furchtbare ist, dass auch jeder es tut.«

»Schön gesagt«, sage ich.

»Das hatte ich mir schon länger zurechtgelegt«, sagt das

Känguru. »Habe nur auf eine günstige Gelegenheit gewartet, das in eine Konversation einfließen zu lassen.«

»Mir ist letztens auch was Schönes eingefallen«, sage ich und deute auf die Telefondose, aus der das Internet kommt: »Die Buchse der Pandora.«

»Man müsste sie einfach aus der Wand reißen«, sagt das Känguru.

»Ja«, sage ich. »Sehr gut. Das machen wir.«

»Wir holen uns unser Leben zurück«, ruft das Känguru. »Nieder mit der Virtualität!«

»Keep it real!«, rufe ich.

»Dann mach«, sagt das Känguru zu mir. »Zieh.«

Ich zögere.

»Mach du«, sage ich. »Du bist hier zuständig fürs Radikale.«

Energisch nimmt das Känguru das Kabel in die Pfote. Dann hält es plötzlich inne.

»Vielleicht sollte ich vorher noch mal kurz meine E-Mails checken«, sagt es.

»Ich zuerst«, sage ich und schnappe mir das Notebook.

»Du hast doch gerade erst«, beschwert sich das Känguru.

»Ja, aber ich muss doch zumindest noch 'ne Abwesenheitsnotiz verfassen, und vielleicht hat mir inzwischen schon jemand geantwortet.«

Hat aber niemand. Das Postfach des Kängurus ist ebenso leer.

»Ich schreibe dir eine E-Mail, wenn du mir auch eine schreibst«, sage ich.

»Google doch mal Georg Büchner«, sagt das Känguru.

751 000 Treffer.

»Bis der das alles durchgelesen hätte …«, sage ich, »da wäre der auch nicht mehr zum Schreiben gekommen.«

»Geschweige denn zum Revoluzzen«, sagt das Känguru.

»Kuck mal hier«, sage ich. »Da gibt's den Trailer für den neuen Film mit Vin Diesel.«

Klick.

Aus Opportunismus & Repression

Kapitel 21:
»Die Buchse der Pandora«

...und der Titan Epimetheus (altgriech.: der Nachherbedenkende) nahm, uneingedenk der Warnungen seines Bruders Prometheus (der Vorherbedenkende), Pandora in seinem Heime auf. Kaum aber war Pandora herinnen, schloss sie des Titanen Notebook an ihre Buchse an, und sogleich entflogen der Buchse unzählige Übel und verbreiteten sich in Windeseile (100 Mbit/s) über die Erde...

SEIN
EIGENER
HERR

Das Känguru hüpft vor dem Reichstag auf und ab und hin und her. In seinen Pfoten hält es ein Schild, auf dem in großen Lettern geschrieben steht: »Ihr dient dem Volk und nicht der *Initiative neue soziale Marktwirtschaft*. Deshalb macht euch darauf gefasst, wegen Insubordination belangt zu werden.« Dabei singt es lauthals zu einer sehr wahrscheinlich selbst ausgedachten Melodie für die gaffenden Touristen erläuternde Hinweise: »Tralalalala! Die *Initiative neue soziale Marktwirtschaft* ist ein von Arbeitgeber- und Wirtschaftsverbänden gegründetes Propagandanetzwerk des Schweinesystems. Humpahumpahumpatätärä! Man darf das ›neu‹ als Euphemismus für ›gar nicht‹ verstehen. Tirili Tirilo! Aber vielleicht muss ja nicht immer alles so negativ sehen. Cha Cha Cha! Die *Initiative gar nicht soziale Marktwirtschaft* stellt zum Beispiel Materialien für den Wirtschaftsunterricht in Schulen zur Verfügung. Das ist doch total nett. Groovy! Funky! Super nett. Und überhaupt nicht bedenklich. Yeah Yeah Yeah!«

Wie so oft stehe ich nur dumm daneben. Als ich gerade beschließe, mich ein paar Meter weiter weg zu stellen, um im Fall der Fälle einfach so tun zu können, als wäre auch ich Tourist, kommen schon zwei Polizisten auf mich zu.

»Ist das Ihr Känguru?«, fragt der Kleine mit dem Schnauzer.

»Pssst!«, sage ich beschwörend. »Nicht so laut! Sie wissen ja nicht, wie sehr es diese Frage hasst.«

»Ich frug: Ist das Ihr Känguru?«, wird der Polizist lauter.

»Nicht!«, sage ich. »Es ist sein eigener Herr ...«

Zu spät. Das Känguru hüpft herbei und zieht den beiden das Pappschild über die Birne. Dabei wollten die Polizisten doch nur wissen, was Insubordination bedeutet.

Am Ende des Gerichtsverfahrens sagt der Richter zu mir: »Ich verurteile Sie wegen Vernachlässigung Ihrer Sorgfaltspflicht als Tierhalter zu einer Geldstrafe von 500 Euro.«

»Faschist!«, ruft das Känguru völlig außer sich. »Scheißklassenjustiz!

»Bringen Sie Ihr Känguru dazu, das Gericht zu respektieren!«, ruft der Richter aufgebracht.

»Es ist nicht mein Känguru«, sage ich seufzend. »Es ist da wirklich sehr heikel, wenn es um Besitzverhältnisse geht ...«

»Wie könnte ich dieses Gericht respektieren, wo ich es doch nicht mal anerkenne! Und wie könnte ich es anerkennen, wo es mich nicht anerkennt!«, ruft das Känguru und beginnt zu singen: »Tralalalala! Die Gesamtheit der Produktionsverhältnisse bildet die ökonomische Struktur der Gesellschaft, die reale Basis, worauf sich ein juristischer und politischer Überbau erhebt, welchem bestimmte gesellschaftliche Bewusstseinsformen entsprechen. Hipp hipp hurra! No Justice – No Peace! Fuck the ...«

»Ruhe!«, ruft der Richter. »Respekt!«

»Kein Respekt für Scheiße!«, ruft das Känguru und zitiert dann Tucholsky: »Ich habe ja nichts gegen die Klassenjustiz. Mir gefällt nur die Klasse nicht, die sie macht. Schalalalala!«

Mit hochrotem Kopf ruft mir der Richter zu: »Ich verdopple

wegen erneuter Vernachlässigung Ihrer Sorgfaltspflicht als Tierhalter Ihre Geldstrafe auf 1000 Euro.«

»Die Geschichte wird mich freisprechen!«, ruft das Känguru.

»Es ist nicht mein Känguru«, sage ich verzweifelt. »Es wird von niemandem beherrscht. Es kann sich ja nicht mal selbst beherrschen.«

»Es gibt hier vor Gericht gewisse Regeln, wie man sich zu benehmen hat!«, ruft der Richter. »Sorgen Sie endlich dafür, dass Ihr Känguru sich benimmt.«

»Es interessiert mich nicht, welche Regeln sich der Kapitalismus gegeben hat«, ruft das Känguru. »Das Ziel muss nach wie vor in der völligen Überwindung desselbigen liegen.«

Dann beginnt es den RAF-Song von WIZO zu singen.

»Oje«, seufze ich und lege den Kopf auf die Anklagebank. »Das wird teuer …«

Runter...
    und hoch...
    »Was machst'n da?«, fragt das Känguru.
    Runter...
    und hoch...
    »Ich spiel Jo-Jo«, sage ich.
    »Jo-Jo«, sagt das Känguru. »Soso.«
    Runter...
    und hoch...

DAS BAADER-
MEINHOF-
QUARTETT

»Ich hab bei 'ner Lesung Peter-Jürgen Boock getroffen«, sage ich. »Weißte? Aus der zweiten Generation der RAF.«

»Der den Raketenwerfer gebaut hat?«, fachsimpelt das Känguru.

»Genau der.«

»Cool«, sagt das Känguru. »Und haste ein Autogramm geholt?«

»Ja. Zwei Stück.«

»Willste tauschen?«

»Was gibste denn dafür?«

»Einen Stefan Wisniewski.«

»Nee. Hab ich schon. Ich will zwei Baader und eine Mohnhaupt«, sage ich.

»Ich geb dir einen Baader und zwei Hogefeld.«

»Hm. Ich weiß nich.«

»Ich leg noch einen Mahler obendrauf.«

»Nee. Den will ich nicht haben. Schmeiß weg«, sage ich.

»Okay. Ich geb dir einen Baader, zwei Hogefeld und steck den Mahler in den Schredder.«

»Na gut«, sage ich. Wir tauschen die Karten aus.

»Die dritte Generation hab ich jetzt fast komplett«, sage ich.

»Mir fehlt noch der Grams«, sagt das Känguru. »Hast du den?«

»Ja. Aber nur einmal. Den gebe ich nicht her. Da ist schwer ranzukommen seit Bad Kleinen.«

Das Känguru kuckt enttäuscht.

»Wir könnten ja zusammenlegen und ein RAF-Quartett-Spiel erstellen mit den Sammelkarten«, schlage ich vor. »Und Mahler als Schwarzer Peter.«

»Ich hab was viel Besseres«, sagt das Känguru. »Komm mal mit. Ich zeig dir's.«

Auf dem Wohnzimmertisch steht ein verhülltes Etwas. Mit einem »Voilà!« reißt das Känguru das Tuch zur Seite.

»Ein selbstgeschnitztes Schachspiel ...«, sage ich staunend.

»Es ist noch nicht komplett«, sagt das Känguru. »Aber erlaube, dass ich dir die Figuren vorstelle. Zuerst die roten. Hier natürlich Baader und Ensslin als König und Dame. Raspe und Meins als Türme, der Läufer links, das ist ...«

»Brigitte Mohnhaupt«, sage ich.

»Die Bauern sind dann aus der zweiten und dritten Generation.«

»Klar«, sage ich.

»Ja, der auch«, sagt das Känguru.

»Und die grünen Figuren?«, frage ich.

»Wie du siehst: vorne 'ne Reihe Schupos.«

»In den alten Uniformen von damals«, staune ich.

»Hab mir Mühe gegeben«, sagt das Känguru. »Dann als König ...«

»Helmut Schmidt«, sage ich.

»Genau. Und als Dame Horst Herold, Präsident des BKA.«

»Als Dame?«

»Na ja. Ich hab lang überlegt, aber auf der Seite gab's einfach keine relevanten Frauen. Zu der Zeit gab's immer nur 'ne Familienministerin.«

»Bezeichnend.«

»Schleyer und Ponto als die Twin Towers«, fährt das Känguru fort. »Als Springer natürlich Axel Springer himself ...«

»Und wer ist das?«, frage ich und deute auf eine Spielfigur, die unbenutzt am Spielfeldrand steht. »Ist das Otto Schily?«

»Ja«, sagt das Känguru. »Den hatte ich schon geschnitzt, dann wusste ich aber nicht, auf welche Seite ich ihn stellen soll.«

»Ich freu mich schon, wenn die Actionfiguren zu dem neuen Film rauskommen«, sage ich. »Dann können wir die Todesnacht von Stammheim nachspielen.«

»In ganz verschiedenen Versionen«, sagt das Känguru. »In der offiziellen und der cooleren.«

Runter…

und hoch…

»Spielste schon wieder Jo-Jo?«, fragt das Känguru.

»Seit zwei Stunden«, sage ich.

»Ist das nicht langweilig?«

»Kommt drauf an«, sage ich.

»Auf was?«

»Mit was man es vergleicht.«

»Verstehe«, sagt das Känguru. »Verglichen mit ›ein gutes Buch lesen‹?«

Runter…

und hoch…

»Ziemlich langweilig«, sage ich.

»Im Internet surfen?«

Runter…

und hoch…

»Etwa gleich.«

»Arbeiten gehen?«, fragt das Känguru.

»Besser.«

Runter…

und hoch…

Das Känguru schweigt. Friedlich beobachten wir, wie das Jo-Jo immer wieder hoch und runter läuft.

Runter…

und hoch …

Runter …

und hoch …

»Viele Leute sind unglücklich«, sage ich plötzlich. Das Känguru nickt.

Runter …

und hoch …

»Weil: Man macht so viele blöde Sachen im Leben«, fahre ich fort. »Und weißte warum?« Runter …

und hoch …

Das Känguru schüttelt den Kopf.

»Weil uns modernen Menschen die Orientierung fehlt, weil wir kein Wertesystem mehr haben. Wir haben nichts mehr, das uns Halt gibt«, sage ich.

Das Känguru nickt leicht benommen.

Runter …

und hoch …

Runter …

und hoch …

»Deswegen werde ich in meinem Leben jetzt die Jo-Jo-Skala einführen«, sage ich. »Dabei setze ich Jo-Jo-Spielen gleich eins. Man könnte sagen, Jo-Jo-Spielen ist für mich ab sofort der Eichwert, an dem sich alles messen lassen muss.«

Runter …

und hoch …

»Also in etwa … Klavier spielen: 8 Jo-Jos, Steuererklärung machen: 0,1 Jo-Jos.«

Runter …

und hoch …

»Laut Lieder mitsingen, deren Text man nicht wirklich kennt: 4 Jo-Jos. Leuten, die Lieder singen, deren Text sie nicht wirklich kennen, zuhören müssen: 0,5 Jo-Jos.«

Runter ...

und hoch ...

»Schlafen: 10 Jo-Jos. Software-Lizenzvereinbarungen durchlesen: null Komma Periode null Jo-Jos.«

Runter ...

und hoch ...

»Nichts tun: 1,01 Jo-Jos. Abspülen: 0,2.«

»Ich hab's schon beim ersten Beispiel kapiert«, unterbricht mich das Känguru.

Runter ...

und hoch ...

»Und alles, was auf meiner Skala weniger als einem Jo-Jo entspricht, werde ich einfach nicht mehr machen«, sage ich.

Runter ...

und hoch ...

Runter ...

und hoch ...

Runter ...

und hoch ...

»Darf ich auch mal?«, fragt das Känguru.

»Hier«, sage ich. »Ich hab noch ein zweites.«

»Wie muss man das ...?«

Runter ...

und hoch ...

»Du musst dich einfach locker machen.«

»So?«

Runter.

»Spür die Schwingungen.«

»So?«

Runter.

»Nee. Nicht so verkrampft. Überlass dem Jo-Jo die Führung!«

Runter …
und hoch …
»So?«
»Ja. Genau so.«
Runter … runter …
und hoch … hoch …
Runter … runter …
und hoch … hoch …
Runter … runter …
und hoch … hoch …

AUF DER FLUCHT

Ein Rudel Halbstarker jagt uns grölend um den Block. Rucksack und Wertgegenstände habe ich schon fallen gelassen, was jubelnd zur Kenntnis genommen wurde.

»Musste das sein?«; frage ich das Känguru im Rennen.

»Ich lass mich doch nicht blöd anpöbeln!«, sagt das Känguru und macht dabei so große Sprünge, dass ich Schwierigkeiten habe, mitzukommen.

»Da biste lieber morgen die Schlagzeile im *Berliner Kurier*, oder was?«, frage ich. Eine leere Bierdose trifft mich am Hinterkopf.

»Zum Glück ist diesen doofen Asis Flaschenbier zu teuer«, sagt das Känguru.

»So darfst du die nicht nennen«, japse ich. »Man muss das differenzierter sehen. Die sind auch nur Opfer ihrer Umstände.«

»Wer ist das nicht?«, fragt das Känguru lapidar und weicht geschickt einer weiteren Bierdose aus.

»Was ist schon die direkte, physische Gewalt Einzelner gegen die omnipräsente, strukturelle Gewalt der Gesellschaft?«, frage ich und entledige mich meines Mantels. »Man muss sich doch mal die Frage stellen – wer ist hier Täter, wer Opfer?«

»Bleibt stehen, ihr Opfer!«, brüllt der Anführer der Jugendlichen uns hinterher.

»Die für ihren Teil haben diese Frage offensichtlich schon durchdiskutiert und sind zu einem für uns ungünstigen Ergebnis gekommen«, keucht das Känguru. »Rechts!«

Wir biegen scharf ab. »Runter in die U-Bahn.«

Wir rennen die Treppen hinunter und müssen feststellen, dass keine Bahn bereitsteht. Wir laufen schnell an den wartenden Fahrgästen vorbei, die erst irritiert und gleich darauf, als der Mob hinter uns die Treppen runterstürmt, unbeteiligt gucken. Am anderen Ende des Bahnhofs eilen wir die Treppen wieder hoch.

»Du musst mehr Mitleid haben«, sage ich und stolpere fast über meine Füße. »Sie reproduzieren doch nur den Zwang und die Gewalt, die ihnen angetan werden.«

»Ja genau«, faucht das Känguru schwer atmend. »Sie reproduzieren nur den Zwang und die Gewalt, die ihnen angetan werden. Genau deshalb habe ich so wenig Mitleid mit denen. Sie sind zu stumpf, um über ihre Lage und die Gründe dafür zu reflektieren und sich angemessen revolutionär zu verhalten.«

»Links!«, rufe ich. Wir rasen um die Ecke.

»Aber man kann denen doch nicht zum Vorwurf machen«, hechle ich, »dass es ihnen durch eine verfehlte Bildungspolitik verwehrt wird, zu dieser Reflektionsstufe vorzudringen.«

Der erste Stein zischt knapp an meinem Ohr vorbei.

»Hör dich doch nur an!«, ruft das Känguru. »Du machst dich ja zum Apologeten der Tumbheit! Natürlich ist niemand selbst schuld, wenn er im Schlamm geboren wird, aber doch trägt er eine gewisse Verantwortung, sich daraus zu befreien. In die U-Bahn!«

Wieder rennen wir die Treppen hinunter. Gleich wird mich das Seitenstechen umbringen.

»Hoffen wir, dass keine Migrantenkinder unter unseren

Verfolgern sind«, sagt das Känguru schnaufend. »Das würde dein Weltbild wohl kaum noch verkraften.«

»Rechts!«, schreie ich.

»Wir machen euch platt, ihr Kanaken!«, tönt es von hinten.

»Puh«, denke ich. »Glück gehabt.« Und noch mehr Glück. Tatsächlich fährt eine U-Bahn ein.

»In den vordersten Wagen!«, ruft das Känguru. Kurz vor dem Schließen der Türen schaffen wir es hinein.

Unsere Verfolger hechten sich in den Wagen hinter uns. Die Bahn ruckelt los. Durch die Scheibe zwischen den Waggons starren wir uns an.

»Wie alt sind die?«, frage ich verwundert. »Zwölf?«

»Und was machen die da?«, wundert sich das Känguru. »Filmen die uns mit ihren Handys?«

»Im Dunkeln sahen die irgendwie älter aus«, sage ich und halte mir die Seite. »Irgendwie …«, ich atme tief ein und aus, »… gefährlicher.«

Der Wagen hält. Das Känguru holt die roten Boxhandschuhe aus seinem Beutel.

»Jetzt bekommen sie noch mehr Gewalt zum Reproduzieren.«

Ich hole mein Handy aus der Tasche und aktiviere die Videokamera. Die Türen öffnen sich. »Es ist ein Teufelskreis«, seufze ich kopfschüttelnd, als ich auf die Record-Taste drücke.

EiNE NETTE
TEE-
GESELLSCHAFT

»Wissen Sie, es ist diese latente Gewaltbereitschaft, die in jedem zweiten seiner Sätze mitschwingt, die mich so verstört. Dieses Brutale. Damit kann ich nicht umgehen«, sage ich.

»Aha. Und dieses Känguru ...«, fragt mein Psychiater, ».. hören Sie nur dessen Stimme oder können Sie es auch sehen?«

»Was'n das für 'ne blöde Frage? Natürlich kann ich das auch sehen. Das wohnt ja bei mir.«

»Aha.«

»Ja.«

»Verstehen Sie, wenn Sie nur die Stimme in Ihrem Kopf hören könnten, hätte mich interessiert, woher Sie wissen, dass es ein Känguru ist.«

»Na, es hat zwei große Füße, 'ne lange Schnauze, spitze Öhrchen und 'nen Beutel. Klingt für mich nach 'nem Känguru ...«

»Aha. Und dieses Känguru ...«, fragt der Psychiater, »... springt das vielleicht gerade hier im Zimmer herum?«

»Natürlich nicht!«, sage ich. »Sehen Sie hier etwa ein Känguru?«

»Nein«, sagt der Psychiater. »Sicher nicht. Aber warum ist es jetzt gerade nicht hier?«

»Es hat gesagt, 'ne Therapie is nur was für Systemopfer, es

125

habe keine Psychomacken, und ich solle ruhig allein zum Kopfdoktor.«

»Aha.«

»Und gerade diese Art von Zurückweisung, damit kann ich nicht umgehen.«

»Aha. Lassen Sie uns mal ganz weit zurückgehen, in Ihre Kindheit.«

»Nee«, sage ich. »Ich kenn das Känguru ja erst seit ein paar Monaten.«

»Aha. Aber was glauben Sie, warum haben Sie dieses Känguru im Kopf?«

»Ich hab das nicht nur im Kopf!«, beschwere ich mich. »Sie glauben mir wohl nicht!«

»Doch, doch«, sagt der Psychiater und lacht. »Ich lebe ja selbst mit einem Gnu zusammen.«

»Zur nächsten Sitzung bringe ich das Känguru mit!«, drohe ich.

»Ja, hervorragend!«, sagt er lachend. »Bringen Sie doch auch noch den Faselhasen mit, und ich frage den verrückten Hutmacher, und dann machen wir eine nette Teegesellschaft ...«

Meine Augen verengen sich zu wütenden Schlitzen.

E I N E   W O C H E   S P Ä T E R

Wir sitzen im Vorzimmer.

»Ich weiß echt nicht, was ich hier soll!«, mault das Känguru. »Ich bin ja hier nicht das Systemopfer mit der Psychomacke.«

»Genau darum geht es«, sage ich. »Um diese Art von Zurückweisung. Ich denke, es wird uns beiden guttun, wenn wir mal offen darüber reden, mit einem unparteiischen Schiedsrichter.«

»Is mir unklar, wie der unparteiisch sein soll, wenn du den bezahlst«, sagt das Känguru.

»Du kannst gerne die Hälfte bezahlen«, sage ich.

»Das wär ja noch schöner«, meckert das Känguru.

Der Psychiater öffnet die Tür. »Ah! Herr Kling.« Er schüttelt mir die Hand. »Ich habe schon Tee aufgesetzt! Wie geht's denn heute unserem Kängur ... aaah!!!!«

Als er das Känguru sieht, entfährt ihm ein spitzer Schrei.

»Fragen Sie es doch selbst«, sage ich. Der Psychiater schüttelt sich. Geleitet mich hinein und schließt vor dem Känguru die Tür. Wir setzen uns. Das Känguru öffnet die Tür, kommt herein und setzt sich. Mit offenem Mund starrt der Psychiater das Känguru an.

»Jetzt fragen Sie das Känguru doch schon, wie es ihm geht«, sage ich.

»Wi,,, Wo .. Welches Känguru?«, fragt der Psychiater angespannt. »Ich sehe kein Känguru. Nein. Ich sehe kein Känguru.«

»Aber es sitzt doch hier. Hier neben mir.«

»Nein, nein. Da sitzt niemand.«

»Der hat ja 'nen Kopfdoktor noch nötiger als du«, sagt das Känguru.

»Wie? Was?«, fragt der Kopfdoktor.

»Ich habe nichts gesagt«, sage ich.

»Sie wissen natürlich, dass Sie sich das nur einbilden mit diesem Känguru«, sagt der Psychiater schrill.

»Kneif ihn mal«, flüstere ich dem Känguru ins Ohr. Das Känguru steht auf, geht auf den Psychiater zu und kneift ihm kräftig in die Backe.

»Aua!«, schreit der Psychiater und springt auf seinen Sessel. »Etwas hat mich gekniffen.«

»Etwas tritt dir gleich in den Arsch, wenn du dich weiter aufführst wie ein Irrer«, sagt das Känguru.

»Sehen Sie?«, frage ich. »Genau diese latente Gewaltbereitschaft, die in jedem zweiten Satz mitklingt. Die meine ich.«

»Ich bin ein Vogel!«, zwitschert der Psychiater. »Ein lieblicher kleiner Vogel! Tschilp, tschilp, tschilp, tschilp.« Dabei springt er vom Sessel auf den Tisch, dann auf die Couch und wieder zurück auf den Sessel. Immer im Kreis.

»Apropos Vogel«, sagt das Känguru. »Ich mach mal 'nen Abflug.«

DER TEPPICH,
DER DAS ZIMMER
ERST RICHTIG
GEMÜTLICH MACHT

»Iiiiihpfui, ist das ekelig!«, schreit das Känguru zum wiederholten Mal und springt dabei wie wild auf dem neuen Teppich umher. Aus anonymen Beschwerdeschreiben weiß ich, dass es in der Wohnung unter uns immer Mörtel schneit, wenn es das tut.

»Du magst den Teppich nicht?«, frage ich.

»Nein – ich – mag – den – Teppich – nicht!«, schreit es und springt weiter im Flur herum. Beim Hochspringen holt es Luft, beim Runterfallen spuckt es Silben aus.

»Der – sieht – aus – wie – von – I – KEA.«

»Der ist von IKEA«, sage ich.

»Iiiiihgitt! – IKEA!«, schreit das Känguru unablässig hüpfend. »Alles – Kinderarbeit!«

»Jetzt hör aber mal auf!«, sage ich. »Das behauptest du doch immer, wenn ich mir was Neues gekauft habe!«

»Stimmt auch immer«, sagt das Känguru leicht außer Atem.

»Die Turnschuhe?«, frage ich.

»Ja!«

»Die Kekse aus der Kita?«

»Ja!«

»Die Jackson-Five-Platte?«

»Ja!«

»Die Harry-Potter-Filme?«

»Ja!«

»Die Mini-Playback-Show Gold Special Extended Uncut Platinum Collectors Edition All Seasons DVD Sammelbox?«

»Auch!«

»Und der Teppich auch?«

»Ja, ja, ja, ja, jaaah!« Es zieht seine roten Boxhandschuhe über und fängt beim Hüpfen mit Schattenboxen an. »Aber nicht nur, dass der Teppich Kinderarbeit ist ...«, ruft es, »er ist außerdem potthässlich!«

»Was erwartest du denn? Ein Meisterwerk der Teppich- webkunst?«, frage ich. »Die sind doch erst acht.«

»Häääääässlich!« Hüpf. Box. Hüpf.

»Dann tauschen wir ihn halt um«, sage ich.

»Verbrennen!«, ruft das Känguru.

»Man kann ja über IKEA sagen, was man will ...«, fange ich an.

»Ein individualitätsraubender, ramschherstellender, ge- werkschaftsfeindlicher, ausbeuterischer Scheißkonzern!«, schimpft das Känguru.

»Aber das Umtauschen funktioniert meist problemlos«, sage ich.

Da klingelt es an der Tür. Das Känguru hört auf zu hüpfen. Wir blicken uns erschrocken an.

»Das ist bestimmt die Nachbarin von unten, und diesmal macht sie Ernst«, flüstert das Känguru. Aus einer sehr unzuverlässigen Quelle[3] habe ich erfahren, dass die Frau im Internet eine Uzi ersteigert haben soll. Wir linsen durch den Spion. Da steht aber nur ein freundlich lächelnder, etwas dickerer Mann mit spärlichem Haar. Ich öffne.

»Guten Tag! Ich wollte fragen, ob Sie meine bescheidene

---

3   Das Känguru. (Anm. des Chronisten)

Person kurz, nur zum Behufe des Benutzens Ihrer Örtlichkeiten, in Ihre Wohnung einladen würden.«

Blitzschnell schlägt das Känguru zu. Der Mann sinkt bewusstlos zu Boden. Ich blicke das Känguru überrascht an.

»GEZ«, sagt das Känguru.

Ich nicke, beuge mich hinunter, öffne das Hemd des Mannes und vom Brusthaar umringt blinkt uns an einem Goldkettchen die GEZ-Plakette entgegen.

»Und ich dachte, er sei ein Vampir«, sage ich. »Weißte? Von wegen in die Wohnung einladen. Jedenfalls gut reagiert.«

Wir ziehen den bewusstlosen GEZ-Mann in die Wohnung und wickeln ihn in den neuen IKEA-Teppich ein.

»Verbrennen wir den Teppich jetzt?«, fragt das Känguru.

»Ich habe eine viel bessere Idee«, sage ich und stecke dem Mann einen Euro in die Tasche.

»Was soll'n das?«, fragt das Känguru.

»Kann er sich 'nen Hotdog kaufen, wenn er in der Fundgrube aufwacht.«

DER VERTRAG

»Nä! Ich will nicht«, sage ich.

»Du musst aber!«, sagt das Känguru.

»Ich hab keinen Vertrag mit dir unterschrieben«, sage ich.

»O doch«, sagt das Känguru und kommt eine Minute später mit einem Zettel wieder, auf dem steht, dass ich müsste, und darunter stehen die Unterschriften vom Känguru und von mir.

»Haha!«, sagt das Känguru triumphierend.

»Was soll das beweisen?«, frage ich. »Ich habe gesehen, wie du das gerade eben auf dem Schreibtisch verfasst hast. Kuck. Die Unterschriften sehen genau gleich aus.«

»Vertrag ist Vertrag«, sagt das Känguru.

Ich nehme einen Stift und kritzle in den Vertrag hinter das »muss« ein »nicht«.

»So«, sage ich. »Nu muss ich nicht.«

»Du hast den Vertrag gefälscht!«, ruft das Känguru.

»Ich erkläre ihn sogar für nichtig!«, sage ich und zerreiße den Zettel.

»Du!«, sagt das Känguru drohend. »Ich verklag dich.«

»Ja bitte!«, sage ich. »Verklag mich doch!«

»Du wirst schon sehen!«, sagt das Känguru. »Ich verklag dich!«

»Und vor welchem Gericht?«, frage ich. »Denkst du dir das auch selber aus?«

»Vielleicht«, sagt das Känguru. »Warum nicht. Ich verurteile dich wegen Urkundenfälschung und Vertragsbruch zu …«

»Moment!«, rufe ich. »Der Angeklagte muss doch zumindest gehört werden.«

»Nicht bei meinem Gericht«, sagt das Känguru. »Ich verurteile dich also, dass du musst.«

»Ich erkenne das Urteil nicht an!«, sage ich. »Ich habe auch ein Gericht, und das erklärt dein Urteil für null und nichtig. Und du musst die Prozesskosten tragen.«

»Das steht dir nicht zu«, ruft das Känguru empört. »Du kannst nicht einfach auch ein Gericht erfinden. Quod licet jovi, non licet bovi.«

»Hast du mich gerade auf Latein beleidigt?«, frage ich.

»Vielleicht«, sagt das Känguru.

»Was dem Jupiter erlaubt ist …«, kratze ich die letzten Reste meines Schullateins zusammen.

»… ist nicht auch dem Ochsen erlaubt!«, ruft das Känguru.

»Ach ja? Und was willst du jetzt tun? Mich noch mal verklagen?«

»Ich werde das Urteil durchsetzen!«, ruft das Känguru und springt auf mich zu.

»Keine Gewalt!«, rufe ich.

»Schnauze«, ruft das Känguru. Ich renne um den Wohnzimmertisch und singe ein Kinderlied, welches das Känguru einst selbst geschrieben hat:

»Bei einer Demo liefen
fünf Kinder und die riefen:
›Faschismus und Gewaltherrschaft wollen wir nie wieder!‹
Da kam die Polizei und knüppelte sie nieder.«

»Schnauze!«, ruft das Känguru und rennt mir hinterher. Schließlich springt es über den Tisch und versucht mich in den Schwitzkasten zu nehmen. Ich wehre mich erfolgreich und versuche nun meinerseits das Känguru in einen Schwitzkasten zu nehmen. Einige Minuten später liegen wir erschöpft hechelnd am Boden in der Ecke beim Fenster. Die Fernbedienung liegt auf dem Fensterbrett. Ich nehme sie und gebe sie dem Känguru.

»Na also«, sagt das Känguru. »Geht doch.«

»Das hätteste auch einfacher haben können«, sage ich. »Schon der erste Weg zum Schreibtisch, als du den Vertrag erfunden hast, war länger als der zum Fensterbrett.«

»Es geht ums Prinzip«, sagt das Känguru. »Wo kommen wir denn da hin? Wenn jeder macht, was er will, und sich keiner mehr an Verträge hält ...«

HiLFE! iCH LEBE MiT EiNEM VORLAUTEN KÄNGURU ZUSAMMEN

In einer Buchhandlung stehe ich mit einem offenen Buch in der Hand auf einem hohen Stapel Ratgeber und deklamiere:

»Ich liebte sie nicht, weil wir zueinander passten. Ich liebte sie einfach.«

»Was hast'n da?«, fragt das Känguru.

»Liebe dich selbst, und es ist egal, wen du heiratest«, sage ich, steige wieder herab vom Tisch mit den Bestsellern und reiche dem Känguru das Buch.

»Das ist der Titel?«, fragt es skeptisch.

»Jep«, sage ich. »Ein Ehe-Ratgeber. Und willst du wissen, von wem das Zitat auf der ersten Seite, diese einleitenden, weisen Worte stammen?«

»Nö«, sagt das Känguru. »Eigentlich nicht. Ich find das immer so klugscheißermäßig mit vorangestellten Zitaten. Jeder Depp meint ja, wenn er vornweg Oscar Wilde, Brecht oder Kafka zitiert, dann wird's gleich Literatur, was er da verbricht.«

Es schlägt dann aber trotzdem die erste Seite auf und liest murmelnd: »Robert Redford alias Tom Booker im ›Pferdeflüsterer‹.«

Es schüttelt seufzend den Kopf.

»Ist dir schon aufgefallen, dass es in dem ganzen Buchladen keine Romane mehr gibt?«, fragt es.

»Ja. Dafür gibt es Ratgeber für alles und jeden«, sage ich

und halte willkürlich ein Buch in die Luft. »Hier!« Der Titel lautet: »Hilfe! Ich lebe mit einem vorlauten Känguru zusammen«.

»Ach«, sagt das Känguru. »Ich glaube ja nicht, dass man durch diese Ratgeber was lernen kann.«

»Sag das nicht!«, sage ich. »Als ich noch kleiner war, hab ich mir mal einen Ratgeber gekauft: *Über Nacht zum Millionär – Die Börse und der neue Markt,* und mein Papa hat mir sein ganzes Erspartes gegeben, weil er in einem Ratgeber gelesen hatte, dass man seine Kinder in all ihren Unternehmungen unterstützen solle ...«

»Und dann?«, fragt das Känguru.

»Innerhalb von nur zwei Monaten – alles weg.«

Das Känguru staunt.

»Telekom, Siemens, Cargolifter«, sage ich.

Das Känguru blinzelt.

»Aber der Ratgeber ...«, sagt es. »Ich verstehe nicht, wo der Lerneffekt lag.«

»Na, ich bin zwar nicht über Nacht zum Millionär geworden«, sage ich, »aber ich würde nicht behaupten, dass ich nix gelernt hätte.«

Das Känguru nickt: »Schweinesystem.«

Ich lasse meinen Blick durch den Laden schweifen. Die Regale sind thematisch in fünf Schwerpunktgebiete unterteilt:

»Du bist zu hässlich«, »Du bist zu dumm«, »Du bist zu arm«, »Du bist zu schlecht im Bett« und »Du bist generell nicht gut genug«.

Ich nehme einige Bücher in die Hand.

Eine Milliarde halblegale Steuertricks
Wie Sie Ihr komplettes Leben an Formulare verschwenden können

Das Mobbing-Ich
Der Kampf mit den Kollegen

Mach's dir einfach
*Das Ich-packe-meinen-Kram-in-bunte-Kisten-und-meine
Probleme-verschwinden-Buch!*

Versorge dich nicht, übergebe
*Schlank wie nie dank Bulimie. Diättipps für
Drittklässlerinnen*

SEX
Wann immer Sie wollen. Mit wem Sie wollen. Garantiert!

»Kuck mal hier!«, sage ich und halte ein neues Buch in die
Luft. »Das ist doch toll!«

Der Ratgeber-Ratgeber
So schreiben Sie einen Ratgeber

Ich drehe das Buch um und lese den Klappentext: »Wie die
vier apokalyptischen Reiter fallen Flexibilisierung, Entfremdung, Sicherheitsverlust und Erfolgsdruck über die Post-
moderne her und hinterlassen unter den Trümmern der Tra-
ditionen eine zutiefst verunsicherte, orientierungs- und
ratlose Gesellschaft. Unerreichbare, massenmedial verbreitete
Idealbilder von Schönheit, Coolness und Glück machen die
Krise des eigenen Selbst zu einem Automatismus. Profitieren
auch Sie vom Klima der Angst! Schreiben Sie jetzt einen
Ratgeber!«

»Ach«, sagt das Känguru und winkt ab. Ohne ein weiteres

Wort hüpft es aus dem Buchladen hinaus. Als es weg ist, stecke ich heimlich den Ratgeber über das vorlaute Känguru unter mein T-Shirt. Vielleicht steht ja doch was Nützliches drin.

NOZAMA

»Wer seine Unterschrift nicht gegeben hat,
wer kein Bild hinterließ
Wer nicht dabei war, wer nichts gesagt hat
Wie soll der zu fassen sein?
Verwisch die Spuren!«

Bertolt Brecht »Aus dem Lesebuch für Städtebewohner«

»Nä. Mach ich nicht«, sagt das Känguru.

»Wieso nicht?«, frage ich verärgert. »Wenn du hier Mitglied wirst, können wir die DVDs umsonst ausleihen.«

Das Känguru schüttelt den Kopf. Seit zwei Stunden sind wir schon in dieser Videothek, weil das Känguru Geburtstag hat und gerne einen Videoabend machen möchte. Es war schon ein Drama, uns auf die Filme zu einigen, und jetzt noch das.

»Ich weigere mich«, sagt das Känguru. »Ich werde nirgends Mitglied. Ich will in keine Kundendatenbank. Ich will nicht, dass der Staat weiß, welche Filme ich kucke.«

Ich blicke auf die DVDs in meiner Hand. »Zwei Himmelhunde auf dem Weg zur Hölle« und »Das Krokodil und sein Nilpferd«.

»Du willst nicht, dass der Staat weiß, dass du Bud-Spencer-Filme kuckst?«, frage ich, und meine Augenbraue zieht sich nach oben.

»Es geht ums Prinzip«, sagt das Känguru. »Ich bin unsichtbar. Ich zahle zum Beispiel auch nie mit Karte.«

»Du gehst ja, soweit ich weiß, sogar noch einen Schritt weiter«, sage ich anerkennend, »und bezahlst überhaupt nie.«

»Ich bin unsichtbar«, sagt das Känguru. »Ich bin nirgends gemeldet, ich sammle keine Meilen, bin nicht im Känguru-VZ und habe auch keinen Amazon-Wunschzettel! Ich bin unsichtbar.«

»Ja, ja«, sage ich. »Unsichtbar. Wenn du mich anrufst, erkenne ich das sofort, weil nur wenn du anrufst ›Rufnummer unterdrückt‹ im Display steht.«

»Leih du doch die Filme über deine Karte aus«, sagt das Känguru.

»Ich muss sie aber bezahlen«, sage ich.

»Das ist es mir wert«, sagt das Känguru. »Tu mir doch den Gefallen, weil ich heute Geburtstag habe.«

»Du hast doch gar nicht wirklich Geburtstag!«, rufe ich. Das Känguru feiert nämlich jedes Jahr an einem anderen, zufällig gewählten Tag Geburtstag, um die Geheimdienste zu verwirren.

»Das ist gar nicht so sicher«, sagt das Känguru. »Vielleicht habe ich heute wirklich Geburtstag. Ich weiß nämlich selbst nicht mehr, wann ich tatsächlich Geburtstag habe. Das ist die einzige Möglichkeit, sich wirksam zu schützen. Indem man vergisst.«

»Dann muss ich mir ja keine Sorgen machen«, sage ich. »Ich vergesse nicht nur. Ich vergesse sogar, dass ich etwas vergessen habe.«

»Du machst dich drüber lustig …«, sagt das Känguru, »… aber nur bis sie dich verhaften. Natürlich nicht, weil du dir zum zehnten Mal ›Die fetten Jahre sind vorbei‹ ausgeliehen hast, sondern weil deine Steuererklärung Unregelmäßigkeiten aufweist. Natürlich nicht, weil du dir *Das anarchistische Kochbuch* bei Amazon bestellt hast – was ja in sich schon eine Hirnrissigkeit sondergleichen darstellt –, sondern weil du illegal Musik herunterlädst.«

»Macht doch jeder«, sage ich.

»Genau!«, sagt das Känguru. »Das ist ja überhaupt der Witz hinter dieser Kombination aus totaler Überwachung und der vorsätzlichen Kriminalisierung ganzer Bevölkerungsschichten durch neue Copyrightgesetze oder Drogenverordnungen oder was auch immer. Natürlich kann und wird man nicht jeden verhaften, der sich 'ne CD brennt. Aber man könnte. Wenn einer nervt …«

»Und warum hamse dich dann noch nicht verhaftet?«, frage ich.

»Weil ich eben keine Spuren hinterlasse«, sagt das Känguru. »Ich bin unsichtbar!«

Ich verdrehe die Augen.

»Aber es ist doch völlig unmöglich, keine Spuren zu hinterlassen«, sage ich.

»Dann hinterlass falsche«, sagt das Känguru. »Das ist noch besser. Immer wenn ich an einer Kasse nach meiner Postleitzahl gefragt werde, kucke ich auf die Uhr und hänge noch 'ne Null dran.«

»Uh-huh!«, sage ich. »Respekt! Da hast du dem System aber was zum drüber Nachdenken gegeben.«

»Ich unterschreibe auch immer mit einem falschen Namen«, sagt das Känguru.

»Und mit welchem?«, frage ich.

»Äh …«, sagt das Känguru. »Öh.«

»Oah! Du Schuft!«, rufe ich.

»Du bist für die Agenten des Kommerzes doch sowieso ein

offenes Buch«, sagt das Känguru. »Macht dir das keine Angst?«

Ich überlege.

»Letztens habe ich im Plattenladen ›The revolution will not be televised‹ von Gil Scott-Heron gekauft«, sage ich, »und als ich mich kurz danach bei Amazon eingeloggt habe, hat mir die Seite gesagt: ›Dieser Artikel könnte Sie interessieren: The revolution will not be televised‹. Das fand ich schon gruselig.«

»Das finde ich eher beruhigend«, sagt das Känguru. »Immerhin wussten sie nicht, dass du dir die Platte schon gekauft hattest.«

Ich nicke.

»Weißt du übrigens, was rauskommt, wenn man Amazon rückwärts buchstabiert?«, fragt das Känguru.

»Nee«, sage ich und überlege kurz. »N, O, Z, A, M, A?«

»Genau!«, sagt das Känguru.

»Und?«, frage ich.

»Schon mal was von Nozama bin Laden gehört?«

»Was willst du damit sagen?«

»Ich will gar nichts sagen«, sagt das Känguru. »Ich gebe nur Denkanstöße.«

FÜNF
VOR
ZWÖLF

Es ist kurz vor Mitternacht. Mein Handy klingelt. »*Los, lauf, Bursche! Lauf! Lass alles stehen und liegen! Jemand versucht mit dir in Kontakt zu treten. Es ist bestimmt superwichtig. Wo du ja so superwichtig bist. Los, lauf, Bursche! Lauf! Lass...*« Auf dem Display steht »Rufnummer unterdrückt«.

Ich gehe ran.

»Kostet es dich nicht unglaublich viel Zeit, deine doofen kritischen Klingeltöne immer passend auf mein Handy zu mogeln«, frage ich.

»Es geht«, sagt das Känguru. »Geh mal ins Wohnzimmer!«, und es legt auf.

Obwohl ich von der Ablenkung sehr genervt bin, gehe ich trotzdem mit meinem Jo-Jo ins Wohnzimmer. Der Fernseher läuft. Vom Känguru keine Spur.

Ich werfe mich auf die Couch und starre in den Fernseher.

Eine Frau begrüßt mich: »*Hallo und herzlich willkommen zu ›Fünf vor Zwölf‹ um fünf nach zwölf.*«

»Hallo«, grüße ich zurück. Ich weiß nicht mehr, wann ich die seltsame Gewohnheit angenommen habe, mit den Leuten im Fernseher zu reden. Noch einmal bitte ich meine Sinne das Känguru zu lokalisieren, als ich mich plötzlich »Das darf doch nicht Warzenschwein?!?« rufen höre.

Das Känguru winkt fröhlich aus dem Fernseher. Es sitzt

mit der Moderatorin und vier anderen Nasen an einem großen halbrunden Tisch.

»Was machst du denn im Fernseher?«, frage ich laut. »Und habe ich gerade tatsächlich ›Das darf doch nicht Warzenschwein?!?‹ gerufen?«

»*Ja*«, sagt die Moderatorin, »*heute haben wir wieder zwei spannende Themen. Zum einen: China – Das Land, wo die Chinesen herkommen. Dazu habe ich mir eingeladen den Wirtschaftsweisen Dr. Tim-Olaf Minne ...*«

»Den kenne ich«, sage ich. »Das ist so einer, der ist von Beruf Experte!«

Die Kamera schwenkt auf Dr. Minne, welcher grüßend ins Objektiv nickt. Am unteren Bildrand wird ein Balken eingeblendet:

»Dr. Tim-Olaf Minne – Experte«

»*... und äh äh*«, die Moderatorin durchsucht panisch ihre Karteikarten, ohne die richtige zu finden, »*äh Herrn äh Lee Wok, äh den Mann vom Asia-Imbiss unten an der Ecke.*«

Auf dem Balken steht:

»Lee Wok – Chinese«

»Da fällt mir eine legendäre Sabine-Christiansen-Sendung ein«, sage ich lachend zu Herrn Wok, »in der zum Thema Bildungspolitik Robert Atzorn eingeladen war, weil er die Hauptrolle in ›Unser Lehrer Doktor Specht‹ spielte.«

Herr Wok scheint etwas erwidern zu wollen, aber die Moderatorin unterbricht ihn: »*Des Weiteren darf ich als Gäste begrüßen: das Känguru ...*«

Die Kamera schwenkt auf das Känguru, welches seine Pfoten vor dem Beutel gefaltet hat und ebenfalls mit stummem Nicken grüßt.

»Krass, dass die dich zu so einem politisch brisanten Thema eingeladen haben«, sage ich.

»... sowie Herrn Freundlich und seinen deutschen Schäferhund zu unserem zweiten großen Thema heute Abend: Sprechende Tiere – Was wollen sie uns sagen?«

»Ach so«, murmle ich.

»Als Erster soll unser Wirtschaftsweiser zu Wort kommen«, beginnt die Moderatorin.

»Da würde ich nicht draufen wetten«, sage ich.

»Ich möchte nur mal kurz für die Zuschauer vom großen Lobbyistenschaulaufen hier etwas klarstellen«, meldet sich das Känguru zu Wort.

»Sehen Sie?«, sage ich.

»Wirtschaftsweiser...«, sagt das Känguru, »Das hat jetzt nix mit Waisenhaus zu tun. Es handelt sich bei Herrn Dr. Minne also nicht um ein chinesisches Kind, dessen Eltern je drei Jobs hatten und von der Maschine gefressen wurden. Im Gegenteil, so ein Wirtschaftsweiser ist sozusagen am anderen Ende der Nahrungskette. So einer, wo immer ›Experte‹ unten im Balken steht.«

»Haha! Das habe ich auch gesagt«, sage ich.

»Die könnten auch hinschreiben: ›Keine Ahnung von nüscht, aber auf allen Kanälen.‹«, sagt das Känguru. Im Balken unter dem Känguru steht:

»Das Känguru – kann sprechen«

»Ja, wir kommen gleich zu Ihnen, aber zuerst wollte ich Herrn Dr. Minne...«, piept die Moderatorin.

»Die Christiansen-Sendung wurde damals ARD-intern ja immer ›Die Sendung mit der Maus‹ genannt«, sage ich und denke: »Ich muss unbedingt aufhören, mit dem Fernseher zu reden. Das ist sehr verschroben.«

»... Herr Dr. Minne, können Sie uns denn etwas zur aktuellen Wirtschaftslage sagen?«

»Oh ja, bitte!«, rufe ich. »Superspannend.«

»*Warum fragen Sie ihn nicht gleich, ob er noch einmal aus-spucken möchte, was er schon eine Million Mal oral erbrochen hat?*«, ruft das Känguru, doch das Mantra des Wirtschaftsweisen ist nicht zu stoppen: »*Ich, als Experte, denke, wir müssen die Verhältnisse enger schnallen. Wir leben über unsere Sachzwänge. Der Gürtel ist alternativlos. Im Übrigen bin ich für Steuer-senkungen unter allen Umständen, mit welcher Entschuldigung auch immer, mit welcher Begründung auch immer, wenn immer es irgendwie möglich ist.*«

»*Entschuldigung, ich … *«, fängt Herr Wok leise an.

»Lee Wok – Chinese«

»*Bitte! Später … *«, bittet die Moderatorin.

»Jetzt lassen Sie den Mann doch mal zu Wort kommen«, rufe ich und denke: »Wirklich sehr, sehr verschroben.«

»*Ich mag keinen Reis*«, sagt Herr Freundlich unvermittelt.

»Herr Freundlich – Sein Hund kann grüßen«

»*Ich selbst war gerade erst in China*«, fängt Dr. Minne wieder an.

»*Klauen uns die Arbeitsplätze, die Chinesen*«, stellt Herr Freundlich seine Meinung in den Raum.

»*Mir klaut keiner Arbeit*«, sage ich. »*Schön wär's.*«

»*… und wir müssen ja bedenken, dass die Chinesen eine bessere Arbeitsmoral haben, eben nicht nur acht, sondern sechzehn Stunden arbeiten*«, fährt Dr. Minne fort.

Herr Freundlich ruft empört: »*Das heißt doch, dass jeder Chinese uns nicht nur einen, sondern zwei Arbeitsplätze klaut!*«

»*Jetzt pass mal auf, Freundchen!*«, ruft das Känguru.

»*Freundlich*«, sagt Freundlich.

»*Nix da*«, sagt das Känguru. »*Schluss mit freundlich. Bei 1,3 Milliarden Chinesen, wenn man da nur die Arbeitenden nimmt, also die Alten und die Kinder rausrechnet … *«

»*Nur die Alten*«, sagt Herr Wok.

»Nun gut«, sagt das Känguru. *»Wenn wir also grob geschätzt eine Milliarde Chinesen fragen würden, ob sie nicht gerne auf einen von den zwei Arbeitsplätzen verzichten würden, die sie euch geklaut haben. Wenn wir diese Arbeit dann nach Deutschland importieren ... Das ist einfach umgerechnet. Bei 82 Millionen Deutschen. Nehmen wir die Österreicher noch mit rein.«*

»Zusammen, was zusammengehört«, brummt Freundlich, und sein Hund bellt.

»Bitte«, murmelt die Moderatorin.

»Und die Schweizer von mir aus auch noch«, fährt das Känguru fort. *»Also für grob 100 Millionen Großdeutsche, eine Milliarde neue Arbeitsplätze. Das heißt jeder von euch, Opa, Oma, Mutter, Vater, Kind, könnte 80 Stunden mehr arbeiten. Am Tag. Wär das nicht toll?«*

Verständnislos blickt Herr Freundlich in die Runde.

»Und das Beste kommt zum Schluss«, sagt das Känguru. *»Selbst wenn man einen chinesischen Stundenlohn anrechnet, hättet ihr damit noch fast so viel wie jetzt. So schön könnte es sein, wenn nur die verdammten Chinesen nicht so gierig wären.«*

»Ich bin gar kein Chinese!«, sagt Herr Wok. *»Ich bin Koreaner!«*

»Lee Wok – Chinese«

»Klauen uns die Arbeitsplätze, die Koreaner«, sagt Herr Freundlich.

»Ich selbst war gerade erst in Korea«, sagt Dr. Minne, als es plötzlich »piu, piu, piu« macht und ein Wasserstrahl zielgenau in seinem Mund landet.

Ein Kabelträger versucht dem Känguru die Wasserspritzpistole zu entwenden.

»Ey! Die habe ich bezahlt!«, rufe ich dem Mann zu. »Respekt vor fremdem Eigentum!«

»Und warum sind Sie eigentlich hier, Herr Freundlich?«, fragt

die Moderatorin kurz vor dem Nervenzusammenbruch. *»Was kann Ihr Hund denn?«*

»Der kann den Hitlergruß!«, sagt Herr Freundlich, und man sieht noch, wie aufs Kommando die Pfote des Hundes in die Höhe schnellt, bevor die Übertragung abbricht.

Plötzlich kommt das Bild wieder. Herr Freundlich liegt am Boden, das Känguru hat seine roten Boxhandschuhe an und rennt vor dem Schäferhund davon. Es knallt gegen eine Kamera, und das Bild ist wieder weg.

Als das Känguru nach Hause kommt, sehe ich, dass es eine Mullbinde um seine Schwanzspitze gewickelt hat.

»Der Scheißköter hat einfach nicht losgelassen«, murrt es.

»Und dann?«, frage ich.

»Hab ich den Fascho-Gruß gemacht«, sagt das Känguru. »Da hat er sofort losgelassen, sich hingesetzt, die Pfote gehoben, und ich hab ihn weggetreten.«

»Und was habt ihr mit dem Hund gemacht?«

»Wir haben ihn dem Chinesen mitgegeben.«

»Koreaner«, sage ich.

»Was auch immer«, sagt das Känguru.[4]

---

4 Wie sich herausstellte, war Herr Lee Wok, der eigentlich Kim Chang-dong heißt, nicht nur kein Chinese, sondern er betreibt auch keinen Asia-Imbiss. Vielmehr war er eigentlich wegen des zweiten großen Themas eingeladen worden. Kim Chang-dong ist nämlich Tierpsychologe. (Anm. d. Chronisten)

DIE
WAHRHEIT

»… und das ist die Wahrheit!«, sage ich. »Die volle und ganze Wahrheit.«

»Nee«, sagt das Känguru. »Willst du die volle und ganze Wahrheit hören? Die Wahrheit ist, dass ████████████ ████████████████████████████, ████████ ███ ██████████████████████████████████, ██████ durch ██████████████████████████████████, █████ ████████████████████████████, ████████████ ████████████, ████████████ darum (und nur darum) ██████████████████████████, ██████████ Scheißverein ███████████████████████████ █████████████, ██████████████████████████ █████████████ Verstehst du? ████████████████ ██████████████████████, ████████████ durch █████████████████████████████████, ████████ █████████████████████████████, ████████████ ██████████████████████, ████████ darum (und nur darum) ████████ Das ist die Wahrheit.«

»Krass«, sage ich.

»Allerdings«, sagt das Känguru.

Das Känguru holt eine kleine Dose mit getrockneten Pflanzen, Tabak und dazugehöriges Papier aus seinem Beutel und legt alles vor mir auf den Tisch.

»Hier«, sagt es.

»Was soll ich denn damit?«, frage ich.

»'ne Tüte drehen«, sagt das Känguru.

»Alter, ich kann nicht mal ein Bier mit einem Feuerzeug aufmachen«, sage ich. »Wie kommst du darauf, dass ich 'ne Tüte drehen könnte?«

»Na prima«, sagt das Känguru. »Ein Kiffer, der keine Tüte drehen kann. Du bist ja wirklich zu gar nix zu gebrauchen.«

»Nee«, sage ich.

»Und auch noch stolz darauf«, sagt das Känguru.

»Jawoll«, sage ich und salutiere.

»Alles muss man selber machen …«, seufzt das Känguru.

Ich kucke eine Weile zu, wie es sich abmüht.

»Du kannst das nicht richtig, was?«, frage ich. »Dir fehlt der Daumen.«

Das Känguru seufzt. Ich nehme das halbfertige Konstrukt, rolle es dilettantisch zusammen und zünde es an. Das Känguru nimmt einen kräftigen Zug.

»Ich habe mal gehört, dass Pferde nicht kotzen können«, sagt es und bläst Rauchringe in die Luft. »Also rein biologisch nicht befähigt sind, ihren Mageninhalt zu erbrechen. Deswegen sterben die auch, wenn man denen zum Beispiel eine Chilischote zum Fressen gibt.«

»Aha«, sage ich und nehme die Tüte entgegen. Ich ziehe und muss kräftig husten. »Boah. Was ist das denn für ein Zeug?«

Das Känguru nimmt mir die Tüte wieder ab und inhaliert tief.

»Hier kommt nun meine Theorie, warum die Menschen die Erde beherrschen und nicht die Pferde«, fährt es fort. »Gelangen Pferde nämlich zu einem Bewusstsein, kommt ihnen natürlich erst mal das große Kotzen über die Welt, und die Pferde sterben, weil sie kotzen müssen, es aber ja nicht können. Das ist der simple Grund, warum Pferde niemals zu einem Bewusstsein ihrer selbst gelangen können, warum sie niemals denken werden und warum sie folglich niemals ihren rechtmäßigen Platz an der Spitze der Schöpfung einnehmen werden, sondern weiterhin nur als lebendige Dekoration bei den Karl-May-Festspielen im Sauerland dienen werden. Auf ewig beherrscht von einer Abnormität der Natur, einer fatalen Mutation der Schimpansen-DNA, einem kranken Tier: dem Menschen.« Das Känguru jagt einen kleinen Rauchring durch einen großen.

»Hast du wieder Zeitung gelesen?«, frage ich. »Du wolltest das doch nicht mehr tun.«

Ich nehme einen vorsichtigen Zug und unterdrücke den Hustenreiz.

»Oh nein!«, sagt das Känguru. »Ich hab ferngesehen.«

»Auweia.«

»Diese Sendung ...«, das Känguru raucht, »sie nennt sich ›Dschungelcamp‹ ... Was hast du zur Verteidigung deiner Rasse zu sagen?«

»Ich?«, frage ich. Mir wird ein wenig schwummerig.

»Ja«, sagt das Känguru. »Zweite Person Singular. Du.«

»Ich ...«, sage und/oder denke ich sehr langsam, da tritt ein Gespenst durch die Wand. Es ist das Gespenst des Kommunismus. Unsicher blickt es in die Runde. Es entsteht eine unangenehme Gesprächspause. Forschend blicke ich das Gespenst an.

»Ah, ja. Hm«, beginnt es schließlich schüchtern. »Vielleicht komme ich ungelegen ... Viele Leute mögen mich ja nicht ...«

»Quatsch! Komm, wie du bist!«, sagt das Känguru.

Diese ständigen Nirvana-Zitate des Hüpfers gehen mir total auf den Sack.

»Wie du warst. Wie ich will, dass du bist.«

E R I N N E R U N G S L Ü C K E

»Und du kannst echt nicht rückwärts gehen?«, frage ich.

»Nee«, sagt das Känguru. Es versucht erneut, hinter sich zu hüpfen, verheddert sich in seinem Schwanz und fällt in den Fernseher, der zu Bruch geht. Hirnlos lange lachen wir darüber. »Kängurus können sich nur vorwärts bewegen«, prustet das Känguru.

»Vorwärts immer, rückwärts nimmer!«, rufe ich. »Da kann man ja schon eine gewisse Präsdes Präsdes Prädeti Vorherbestimmung deinerseits hin zum Sozialismus ... Hat doch Liebknecht immer gesagt.«

»Honecker«, sagt das Gespenst.

E R I N N E R U N G S L Ü C K E

»... und dann wählt ihr alle paar Jahre und nicht nur, dass ihr Leute wählt, die offensichtlich wider eure Interessen handeln, diese Leute werden dafür auch noch wiedergewählt«, krächzt das Känguru. »Ihr seid sooo dumm.«

»Gar nich dumm«, sage ich, »höchstens ungebildet. Die Menschen kennen Abstimmungen eben nur aus dem Fernsehen. Aus ›Big Brother‹ und so. Die stehen in den Wahlkabinen und denken, sie dürften jemanden rauswählen.«

»Das klingt erstaunlich glaubwürdig!«, ruft das Gespenst. »Noch'n Muffin?«

»Oder für die Dschungelprüfung nominieren«, sage ich.

»Ich war auch mal im Dschungel ...«, murmelt das Känguru entrückt. »Vietnam ...«

»Und da müssen die eklige Sachen machen«, sage ich zerstreut, während ich an einem brennenden Waffelröllchen ziehe. »Sich von Spinnen bekrabbeln lassen. Känguruhoden essen.[5]«

»Känguruhoden?«, fährt das Känguru aus seiner Trance empor. Es beugt sich vornüber. »Ich glaub, ich muss kotzen ...«

ERINNERUNGSLÜCKE

»Was die Natur ihren Geschöpfen nich alles mitgegeben hat«, sagt das Känguru. »Giftzähne, Echolot, meterlange Hälse, Kiemen, Panzer, kräftige Sprungbeine, Beutel. Wer konnte denn ahnen, dass ausgerechnet der Daumen das Mittel der Wahl ist, um die Welt zu beherrschen ...«, sagt das Känguru.

---

5 Für die Leser aus der Zukunft: Es mag euch komisch vorkommen, dass es damals noch Leute gab, die sich über so etwas aufgeregt haben. Aber es soll sogar Zeiten gegeben haben, zu denen die öffentlich-rechtlichen Fernsehsender aus Protest gegen Werbung auf Banden und Trikots sich weigerten, ein Fußballspiel zu übertragen. Unglaublich. (Anm. d. Kängurus)

»Gib her. Ich mach schon«, sage ich und nehme mich der Nachschubfabrikation an.

»Ich wollte euch eh noch was vorlesen aus den Tagebüchern von Kurt Cobain«, sagt das Känguru.

»Boah nee! Bitte nich«, sagen das Gespenst und ich gleichzeitig.

ERINNERUNGSLÜCKE

Wir sprechen mit dem Gespenst des Kommunismus über das Wetter und das Fernsehprogramm. Das Gespenst erzählt, dass es ein Angebot, ins Dschungelcamp zu gehen, nach einigem Nachdenken abgelehnt hat. Das Känguru gibt einige kryptische Sätze über seine Zeit im Dschungel von sich.

»Ich werde verfolgt«, sagt das Gespenst plötzlich. »Gehetzt werde ich!«

»Von wem denn?«, fragt das Känguru erschrocken.

»Vom Papst und vom Zar!«, stöhnt das Gespenst, »von Metternich und Guizot, von französischen Radikalen und deutschen Polizisten. Ich hab's zufällig in einem kleinen roten Büchlein gelesen. Das gab's in 'ner Restpostenbuchhandlung für 1,95.«

»Aha! Das Manifest!«, konstatiert das Känguru altklug.

»Ach«, sage ich, »der Metternich und der Zar, die sind doch schon längst tot. Und der Guizot, wer auch immer des war ...«

»François Pierre Guillaume Guizot war zur Zeit der Februarrevolution 1848 Chef des französischen Kabinetts«, punktet das Känguru mit seinem Trivial-Pursuit-Wissen.

»Scheißegal«, sage ich. »Auf jeden Fall ist der auch schon tot.«

»Aber die deutschen Polizisten!«, wirft das Känguru ein.

»Und der Papst!«, sagt das Gespenst. »Der lebt auch noch.«

»Ja, der Papst ...«, sagt das Känguru leise.

»Ihr seid doch komplett paranoid!«, sage ich.

»Just because you're paranoid. Don't mean they're not after you«, sagt das Känguru. »Nirvana!«

»Alter!«, fluche ich. »Was verdammt noch mal hat das jetzt schon wieder mit Nirvana zu tun?«

»›Nevermind‹, siebter Song, ungefähr so bei anderthalb Minuten. Mach mal rein.«

ERINNERUNGSLÜCKE

Das Känguru schenkt noch 'ne Runde Wodka aus. Das Gespenst hat sich ins Bad verzogen. Ihm geht's richtig dreckig. Der Fürst Bismarck ist ihm nicht gut bekommen, und der Gorbatschow hat es völlig fertiggemacht.

»Nastrowje!«, ruft das Känguru.

»Wehe, wehe, wehe, wenn ich auf das Ende sehe!«, sage ich und trinke.

»Nevermind«, sagt das Känguru.

ERINNERUNGSLÜCKE

ACH DU
MEINE NASE!

Ich sitze mit Jürgen, dem Haustier meiner Cousine, die zwei Wochen im Urlaub ist, auf dem Boden vor der Couch und starre auf die Stelle, wo vor kurzem noch der Fernseher stand. Plötzlich poltert das Känguru zur Tür herein. Es schleppt einen unglaublich großen braunen Kasten mit sich und knallt ihn auf den Tisch, wo vor kurzem noch der Fernseher stand.

»Tada!«, sagt das Känguru und wischt sich keuchend den Schweiß von der Stirn.

»Was'n das?«, frage ich.

»Nach was sieht's denn aus?«, fragt das Känguru.

»Entweder isses ein Relikt aus den Kindertagen der Television oder ein Block aus der Cheops-Pyramide ...«, sage ich.

»Das is'n Fernseher«, sagt das Känguru.

»Schon klar.«

»Der is nich so alt. Is nur ausm Osten. Ein RFT Colorlux. Das Topmodell damals.«

»Hat der 'nen Zweitaktmotor drin?«, frage ich.

»Haha. Warte nur, bis du den in Betrieb gesehen hast«, sagt das Känguru und sucht nach einer freien Steckdose.

»Wo bist'n über den gestolpert?«

»Hab ich gerade in Marzahn abgeholt. Top-Zustand. Ist aber gebraucht.«

»Ach was ...«

»In der Annonce stand: ›Zu verschenken. Wer vor zehn anruft, bekommt ihn garantiert nicht‹.«

»Sympathisch«, sage ich.

Das Känguru kriecht unterm Tisch hervor und schaltet das Gerät ein. Es knallt, und wir sitzen im Dunkeln.

»Ich geh dann mal in den Keller und mach die Sicherungen wieder rein«, sagt das Känguru.

»Okay.«

Zehn Minuten später kommt es wieder.

»Ich glaub, im ganzen Viertel ist der Strom weg«, sagt es.

»Was machst'n da?«

Ich knie hinter dem Fernseher, mit einem Feuerzeug in der Hand. »Ich will den Videorecorder anschließen. Wo issen der Scart-Anschluss?«

»Keine Ahnung«, sagt das Känguru.

»Kuck ma, was hier steht!«, rufe ich plötzlich. Jemand hat den Fernseher mit einem Etikettiergerät gebrandmarkt.

»Eigentum von Erich Honecker«, liest das Känguru.

»Krass.«

Das Licht geht wieder an, und der Fernseher rattert los. Ich schnuppere.

»Ja. Der stinkt ein bisschen, wenn man ihn anmacht. Das gibt sich nach ein paar Minuten«, sagt das Känguru, während es zum Kühlschrank schlappt, um mir den letzten Vanillepudding wegzuschnabulieren. Ich suche einen Sender und setze mich zurück zu Jürgen vor die Couch. Es kommt eine Talkshow.

»Es kommt 'ne Talkshow«, rufe ich in die Küche. »Willste mitkucken?«

Das Känguru steht im Türrahmen und betrachtet kopfschüttelnd Jürgen und mich.

»Ihr beide passt gut zusammen«, sagt es. »Mensch und

Hund stehen auf ähnlich niederen Stufen der evolutionären Leiter. Der eine wie der andere schnüffelt noch gerne an der Scheiße seiner Artgenossen. Talkshows. Ha. Ich hab genug von Talkshows.«

»Hm. Es sieht so aus, als wolle es nicht mitkucken, sondern lieber neunmalkluge Bemerkungen machen«, sage ich zu Jürgen. Dann drehe ich mich zum Känguru und sage:

»Und dir habe ich schon x-mal erklärt, dass Jürgen kein Hund, sondern ein Goldhamster ist!«

»Dann ist er aber ein äußerst großer Hamster«, sagt es.

»Nein, er ist nicht groß, vielmehr entspricht seine Größe oder auch Kleine ziemlich genau der hierzulande geltenden Hamsternorm von so ungefähr faustgroß.«

»Wahnsinn!«, ruft das Känguru. »Mutierte Riesenhamster! – Das darf doch nicht Warzenschwein!«

»Lass das!«, sage ich. Plötzlich werde ich stutzig. »Kuck mal. Wer is'n das?«, frage ich. »Das ist doch der Krenz! Dass es den noch gibt ...«

Das Känguru steht auf und wechselt den Kanal. Wir sehen eine Gruppe Jungpioniere beim Wandern. Dabei singen sie das Lied von der kleinen, weißen Friedenstaube.

»Schon wieder so ein Nostalgiequatsch«, sage ich, aber das Känguru singt begeistert mit:

»Kleine weiße Friedenstaube fliege übers Land;
Allen Menschen, großen, kleinen, bist du wohlbekannt.
Fliege übers große Wasser, über Berg und Tal;
Bringe allen Menschen Frieden, grüß sie tausendmal.«

Ich blicke das Känguru verständnislos an. »Ich war auch mal Jungpionier!«, sagt es. »Das war mein Lieblingslied.«

»Aha.«

»Habt ihr keine Lieder gehabt im Westen? Was war die Hymne deiner kapitalistischen Jugend?«

Ich überlege.

»Nu?«

»Ich überlege«, sage ich. »Vielleicht ...« Ich beginne zu singen: »Musterhausküchenfachgeschäft – Wir richten Küchen mustergültig ein!«

Das Känguru blickt mich verständnislos an.

»Ach. Schalt mal weiter«, sage ich. Wir sehen nur noch Geflimmer.

»Es gibt nur zwei Kanäle«, sagt das Känguru.

»Schalt zurück!«, rufe ich.

»Hey, da ist ja Pittiplatsch!«, ruft das Känguru gerührt.

»Ach du meine Nase!«, sagt Pittiplatsch.

»Nak, Nak«, gibt Schnatterinchen zu bedenken. Das Känguru schaltet wieder zum ersten Kanal zurück. »Kuck mal. Wer is'n das da in der Talkshow?«

»Das ist doch der Mielke!«, sagt das Känguru.

»Und der Honecker ...«, sage ich.

»Vorwärts immer, rückwärts nimmer«, sagt der Generalsekretär. Wir blicken uns an.

»Denkste, was ich denke?«, frage ich.

»Was denkste denn?«, fragt das Känguru.

»Meinste, das ist wirklich der Fernseher von Erich Honecker und man kann damit in die Vergangenheit kucken?«, frage ich.

»Scheint so«, sagt das Känguru. »Und weißt du, an was ich jetzt denke?«, frage ich.

»An Ratzingers Golf?«, fragt das Känguru.

»Bingo!«, rufe ich. »Wenn das alte Auto vom Papst fast 200 000 gebracht hat, dann muss doch auch der Fernseher von Honecker was wert sein. Vor allem, wenn man damit in die Vergangenheit blicken kann!«

Sofort stellen wir den Fernseher bei eBay rein. »Erich Honeckers Fernseher! Empfängt Fernsehen von früher!« Anfangsgebot: 1 Euro.

Nach zehn Tagen ist die Auktion aber ohne ein Gebot ausgelaufen. Keiner will einen Fernseher ohne Scart-Anschluss.

SCHMELZKÄSE
DER
APOKALYPSE

»Schmelzkäse ist mir suspekt«, sage ich in den Kühlschrank hinein, aber doch zum Känguru, welches am Küchentisch sitzt. »Er schimmelt nicht.«

Seit über einem Jahr liegt die angefangene Packung quadratisch genormter, einzelverpackter Käsescheiben nun schon in der hintersten Ecke unseres Kühlschranks und schimmelt nicht. Der Käse schimmelt einfach nicht.

»Was ist da drin?«, frage ich. »Kann man das überhaupt Käse nennen, oder ist das essbares Plastik?«

»Plastik? Vielleicht«, sagt das Känguru. »Aber essbar ...«

»Ich bin von einem tiefen, unerklärlichen Gefühl der Verunsicherung ergriffen, welches mir nicht erlaubt, mein Leben so weiterzuführen, wie ich es bisher getan habe«, sage ich.

»Gibt's das auch 'ne Nummer kleiner?«, fragt das Känguru.

»Das aufgedruckte Haltbarkeitsdatum ist ja wohl eine Farce!«, sage ich. »Ist nur ein Trick, um die Käufer von der Natürlichkeit des Produktes zu überzeugen. Dieser verdammte Schmelzkäse ist acht Monate überfällig. Er wird mich noch überleben!«

»Was machst du da?«, fragt das Känguru.

»Ich nehme ihn aus dem Kühlschrank heraus, um den Bakterien ihre Arbeit zu erleichtern.«

»Kannste dir sparen«, sagt das Känguru. »Dein Experiment habe ich schon mal aus Versehen durchgeführt. Der

Schmelzkäse hier lag letztes Jahr zwei Wochen lang neben der Kaffeemaschine, ohne zu schimmeln.«

»Ha!«, sage ich. »Ich bin da einer ganz großen Sache auf der Spur!«

»Ja, ja«, sagt das Känguru. »Aber musst du mich damit nerven? Es gibt bestimmt ein Internet-Forum für Menschen mit ähnlichen Problemen.«

»Eines? Dutzende!«

Ich reiche dem Känguru mein Notebook und sage: »Hier zum Beispiel.«

»Die gelbe Gefahr«, murmelt das Känguru lesend.

»Diese Newsgroup wurde in der Szene berühmt, als sich ihr Gründer vor Verzweiflung mit Schimmelkäse vergiftete. Kurz vor seinem Suizid hat er gepostet: ›Das Einzige, was von uns nach einem Atomkrieg zurückbleiben wird, ist: Schmelz-käse.‹«

»Was meint er denn damit?«, fragt das Känguru.

»Was er damit meint?«, rufe ich. »Von der Hitze der Explosionen flüssig gemacht, wird sich eine gigantische gelbe Schmelzkäsemasse wie Lava über den Planeten verteilen,

Pflanzen, Tiere, Städte, Dörfer vertilgen und … Oh mein Gott!«

Da trifft es mich wie ein Schlag.

»Was'n los?«, fragt das Känguru.

»Der Mond«, brülle ich. »Ist er nicht aus Käse? Oder zumindest mit Käse überzogen? Und die ganzen Krater! Mahnmale eines furchtbaren Krieges? Wie lange mag es her sein, dass der Schmelzkäse die Zivilisation auf dem Mond überflutet hat? Der verdammte Schmelzkäse der Apokalypse. Er ist unzerstörbar. Er ist ewig. Er ist wahrhaft göttlich!«

Ich raufe mir die Haare und falle auf die Knie.

»Nur schmecken tut er beschissen«, sagt das Känguru und

stopft sich die quadratisch-genormten Plastikscheiben in den Mund. Es würgt kurz, rülpst und wirft zwei Schnapspralinen hinterher.

»Na ja«, sage ich und stehe wieder auf.

»Was weg ist, ist weg«, sagt das Känguru.

DAS KETTEN-KARUSSELL

»Hallo! Bin wieder da«, sage ich und winke kurz in die Küche hinein, bevor ich Gitarre und Rucksack in meinem Schlafzimmer ablege.

»Warst du weg?«, fragt das Känguru.

»Fast zwei Wochen!«, sage ich empört.

Ich setze mich zum Känguru an den Kaffeetisch.

»War auf Tour«, sage ich.

»Ach so«, sagt das Känguru.

»Interessiert es dich gar nicht, wie es war?«

»Wie war's?«, fragt das Känguru und blickt endlich von der Zeitung hoch.

»Langweilig«, sage ich.

»Oh. Dann erzähl doch bitte davon.«

»Allein ist halt immer doof«, nörgle ich. »Früher hast du mich öfter begleitet.«

»Da warst du auch noch nicht jeden zweiten Tag weg«, sagt das Känguru. »Wofür zahle ich denn Miete, wenn ich jeden zweiten Tag weg bin?«

»Du zahlst keine Miete«, sage ich.

»Ja, aber du verstehst meinen Punkt.«

»Interessiert dich gar nicht, wo ich war?«

»Wo warst du?«

»Ich habe ein Gedicht über die Bahnreise geschrieben. Hör's dir an, und dann rate, von wo nach wo ich gefahren bin.«

Ich deklamiere:

»Das Kettenkarussell

Durch die Innenstadt zum Bahnhof vorbei an

H&M und C&A
dm und Nanu-Nana
Mr. Clou, Ditsch, CinemaxX
O2, Plus, e-plus, Starbucks
Rossmann, Ihr Platz und Aldi
Dunkin' Donuts und Esprit
Sparkasse, Lidl, Deutsche Bank
und daneben ein letzter Punk
Le Crobag, Wiener Feinbäcker
McDonald's, Tchibo, Hertie, Schlecker

rein in den Zug

Windkraftwerk, Windkraftwerk, Windkraftwerk
Schallschutzmauer, Schallschutzmauer,
Windkraftwerk, Windkraftwerk
Tunnel, Tunnel, Tunnel, Tunnel
Windkraftwerk

... raus aus dem Zug vorbei an ...

H&M und C&A
Schlecker und Nanu-Nana
Mr. Clou, Ditsch, CinemaxX
O2, Schlecker, Plus, Starbucks
Rossmann, Ihr Platz und Aldi

Schlecker, Schlecker und Esprit
Le Crobag, Wiener Feinbäcker
Schlecker, Schlecker, Schlecker, Schlecker.

Ja, in der freien Marktwirtschaft, da kann man frei wählen.
Und wenn einer eine Reise tut, dann kann er was erzählen.«

»Die Proletarier haben nichts zu verlieren als ihre Ketten ...«,
murmelt das Känguru.

WHOPPER

Das Känguru hat Hunger, und wir kucken noch kurz bei McDonald's vorbei.

»Ich hätte gerne einen Whopper!«, sagt das Känguru.

Ist ihm bewusst, wie sehr es damit die Corporate Identity des Jungen an der McDonald's-Kasse verletzt? Macht es das aus Unwissenheit oder um zu provozieren?

»Den gibt's hier nicht«, sagt der Jugendliche mit der Kappe. »Sie können einen Hamburger haben, einen Cheeseburger oder vielleicht einen McRib?«

»Ich hätte gerne einen W-h-o-p-p-e-r!«, wiederholt das Känguru für Dumme.

»Tut mir leid«, sagt der Junge. »Aber wie gesagt gibt's so was bei uns nicht. Sie müssen sich ein Produkt aus der Karte über mir aussuchen.«

»Ach so!«, sagt das Känguru. »Ich hätte gerne einen Whopper.«

»Hören Sie!«, sagt der Junge. »Sie sind hier bei McDonald's.«

»Whopper! Whopper! Whopper! Whopper!«, sagt das Känguru.

»Whopper gibt's hier nicht!«, wird der Junge lauter. »Die gibt's nur bei Burger King.«

»Dann gehst du eben zum Burger King und holst mir einen Whopper, Bursche!«, ruft das Känguru. Langsam verliert es seine Contenance.

»Jetzt geben Sie dem Känguru schon endlich seinen Whopper!«, versuche ich schlichtend in den Streit einzugreifen.

»Es ist mein gutes Recht, hier einen Whopper zu bekommen!«, schnaubt das Känguru. »Alle bekommen hier ihren Whopper! Es ist nicht einzusehen, dass ich, nur weil ich zufällig ein Känguru bin, hier keinen Whopper erhalten soll!«

»Ich möchte Sie bitten, jetzt zu gehen«, sagt der Junge.

»Ich möchte Sie bitten, mir jetzt meinen Whopper auszuhändigen!«, sagt das Känguru.

»Ich rufe den Sicherheitsdienst«, sagt der Junge, und sein Finger liegt schon auf einem roten Knopf.

»Ich bleibe hier stehen, bis Sie mir meinen mir rechtmäßig zustehenden Whopper aushändigen!«, sagt das Känguru.

»Na bittschön«, sagt der Junge und fragt einfach den Nächsten in der Schlange: »Was darf's bei Ihnen sein?«

»Ich hätte gerne ein Whopper-Menü«, sage ich.

Der Junge drückt den Knopf. Sofort stürmen zwei Männer auf uns zu. Sie sind kaum fähig, sich zu artikulieren, aber sie wurden in schicke Uniformen gesteckt, auf denen die Insignie der Wichtigkeit prangt: »Security«.

Das Känguru schreit: »Ein Idiot in Uniform ist immer noch ein Idiot!«

Gleich darauf werden wir brutal zur Tür hinaus gedrängt. Aber als der Junge hinterm Tresen schon erleichtert aufatmet und den Spuk für beendet glaubt, quetscht das Känguru noch einmal seinen Kopf durch die Tür und schreit: »Das werdet ihr noch bereuen, Yankees! Erinnert euch an Saigon!«

Wutentbrannt hüpft es hinfort. Ich folge. »Was hast'n jetzt vor?«, frage ich.

»Dann gehen wir eben zu Burger King…«, sagt es, und seine Augen verengen sich zu wild entschlossenen Schlitzen, »… und bestellen uns einen Big Mac!«

Vive la résistance!

WER KRIEG
SPIELEN
WILL

Wir rennen orientierungslos durch die Straßen. Die ganze Stadt ist ein rießiges Schlachtfeld. Bei jeder Explosion schreckt das Känguru zusammen und kurz flackert der Wahnsinn in seinen Augen. Die einen nennen es Bürgerkrieg, die anderen Silvester in Berlin.

»Und es soll Leute geben, die fahren über den Jahreswechsel extra hierher«, sage ich. »In Urlaub …«

Da passiert es. Ein kleiner, dicklicher Halbstarker mit Oberlippenflaum wirft gezielt seinen Schwarzmarkt-Böller nach uns. Blitzschnell reagiert das Känguru. Indem es seinen langen Schwanz wie einen Baseballschläger schwingt, schleudert es die Granate in die Richtung, aus der sie kam, zurück. Der Böller explodiert neben dem Ohr des Werfers, und dieser, von der Explosion taub und verwirrt, bekommt gar nicht mit, wie schnell ihm das Känguru einen rechten Aufwärtshaken verpasst und beide Arme ausrenkt.

»Alter!«, sage ich. »Das war doch nur ein Junge mit einem Silvesterknaller.«

»Wer Krieg spielen will«, sagt das Känguru, »muss auch bereit sein, leiden zu lernen.«

Eine Sekunde ist es völlig still in der Straße.

Dann formiert sich der Gegenangriff. Von allen Seiten werden wir bombardiert. Ein brennender Vulkan landet direkt vor meinen Füßen. Ich mache zwei Schritte rückwärts und rutsche auf den glitschigen Überresten eines anderen Böllers aus. Das Känguru sieht mich fallen, und ein Schrei dringt aus seiner Kehle. Es ist dieser markerschütternde Urlaut des universalen Nicht-Einverständnisses mit der Welt: »Neeeeeiiiiiiiiiiiiiiiiiiiiiiinnnnnnnnnnnnnnnnnnnn!«

Das Känguru packt mich über seine Schulter und springt in atemberaubendem Tempo kreuz und quer durch die Straßen.

»Du«, sage ich, »mir geht's gut. Ich kann laufen …«

»Keine Angst«, keucht das Känguru. »Ich lass dich nicht zurück.«

»Mir ist nichts passiert«, sage ich. »Ich kann …«

»Sei still«, sagt das Känguru. »Schone deine Kräfte, Genosse.«

Plötzlich stehen wir mitten vor dem Brandenburger Tor. Das Känguru drängt sich ohne Rücksicht durch die Menschenmenge und schlägt alle zwei Meter einen Besoffenen, der nicht rechtzeitig das Feld räumt, zu Boden.

»Lass mich runter!«, schreie ich. »Ich mein's ernst!«

»Ich habe noch nie einen verwundeten Genossen zurückgelassen«, schreit das Känguru.

Mehrmals sehe ich, wie Leute, nachdem wir an ihnen vorbeigehüpft sind, ungläubig auf das Getränk in ihrer Hand blicken. Sie suchen wohl auf den Flaschen einen Warnhinweis, der ihre Welt wieder einrenkt: »Achtung: Kann Visionen von Kamikaze-Kängurus verursachen.«

»Der Dschungel ist unser stärkster Verbündeter«, schreit das Känguru und schlägt sich in die Büsche des Tiergartens. Ich bin klatschnass. Schon vor einiger Zeit muss es begonnen haben in Strömen zu regnen. Endlich lässt mich das Känguru auf einer Lichtung auf den schlammigen Boden sinken. Nur noch gedämpft hören wir den Lärm der Raketen.

Das Känguru wäscht sich sein Gesicht mit Wasser aus einem Rinnsal und gurgelt dabei: »The horror ... the horror.«

Manchmal frage ich mich, ob es wirklich beim Vietcong war oder ob es nur zu oft beim Kiffen ›Apocalypse Now‹ gekuckt hat.

Aus Opportunismus & Repression

Kapitel 34: »Ein Clause-Witz«

...die erste internationale Abrüstungskonferenz kann in das Jahr 1139 datiert werden, als der Einsatz der Armbrust (gegen Christen) als unritterlich verboten wurde. Der Erfolg der Konferenz war, nun sagen wir: durchschlagend. Nicht mal 900 Jahre später wird die Armbrust kaum noch in Kriegshandlungen (gegen Christen) eingesetzt ...

LADE-HEMMUNGEN

»Gehen Sie nur rein«, sagt die kleine, mopsähnliche Frau. »Er ist noch immer phasenweise verwirrt. Aber er arbeitet beständig daran, Ihren letzten Besuch zu verdrängen.«

Ich öffne die Tür. Mein Psychiater läuft im Zimmer auf und ab. Er murmelt: »Papageien. Nur Papageien.« Endlich bemerkt er mich und wendet sich mir zackig zu. Er reißt die Augen auf. Schaut, ob ich allein bin. Schließt hinter mir die Tür. Er wartet. Als nichts weiter passiert, entspannt er sich sichtlich.

»Hallo«, sage ich. »Wie geht's dem Gnu?«

»Äh. Es geht ihm gnut. Ich meine gut. Gut, gut. Äh. Legen Sie sich auf die Couch.«

Ich erzähle ihm meinen Traum.

»... und das Känguru war über mir im Baum. Ich reiße das Gewehr nach oben, will schießen. Hab aber Ladehemmungen.«

»Aha. Aha. Ladehemmungen. Aha. Ladehemmungen. Fürchten Sie sich sehr vor Impotenz?«

»Wollen Sie mich verarschen?«, frage ich. »Haben Sie das wirklich studiert, oder haben Sie Ihr Diplom fürs Woody-Allen-Filme-Kucken bekommen?«

»Tschilp, tschilp, tschilp.«

»Hören Sie auf damit!«

Er steht auf und flattert mit den Armen.

173

»Tschilp, tschilp, tschilp.«

Ich stehe auf und gebe ihm eine Ohrfeige.

»Entschuldigung«, sagt er und legt sich auf die Couch. »Wissen Sie, es ist diese latente Gewaltbereitschaft, die mich so verstört.«

»Aha«, sage ich.

»Dieses Brutale. Damit kann ich nicht umgehen«, sagt der Doktor.

»Aha«, sage ich. »Und dieses Känguru …«

EIN GEBILDETER KRANKER

»Hatschi!«, macht das Känguru, zieht ein Stofftaschentuch aus seinem Beutel und schnäuzt. Ich muss lachen.

»Lach nicht!«, ruft das Känguru.

»'tschuldigung«, sage ich. »Aber das sieht einfach zu witzig aus.«

»Haha«, macht das Känguru. »Hatschi!«

Ich muss lachen.

Das Känguru wirft drei Tabletten ein und schimpft dabei: »Halstabletten, Hustensaft, Augentropfen, Vitamine, Traubenzucker, Fieberzäpfchen, Nasendusche und nichts hilft! Dabei hat das Zeug über 30 Euro gekostet! 60 Mark! 120 Ostmark!«

»Ich hoffe, es ist dir ein Trost, dass es meine 30 Euro waren«, sage ich.

»Ein kleiner.«

»Warst du schon beim Arzt?«

»Ja. Ich war beim Arzt«, sagt das Känguru. »Dazu Folgendes ...« Es zieht ein kleines Büchlein aus seinem Beutel hervor. »Molière! Ich zitiere: ›*Meiner Meinung nach können sich die Hilfe der Ärzte nur starke und widerstandsfähige Leute erlauben, die so viel überschüssige Kraft besitzen, dass sie neben der Krankheit auch noch die Medikamente ertragen können. Ich aber habe nun einmal gerade die Kraft, meine Leiden zu ertragen.*‹ Ha!«

Eine Stunde später hängt das Känguru mit einem Plastik-klöppel im Nasenloch über dem Waschbecken und duscht seine Nebenhöhlen.

»Lach nicht«, sagt es.

Ich muss lachen.

»Hast du schon mal von Dr. Jefgeni Weitz gehört?«, fragt das Känguru. »Bereits in den Sechzigern hatte dieser Mann einen Impfstoff entwickelt, das sogenannte Jefgenium, mit dem es möglich gewesen wäre, innerhalb kürzester Zeit alle Welt gegen Erkältungen immun zu machen. Doch einen Tag bevor er seine Entdeckung publik machen wollte – wurde er von der Hustenbonbonindustrie ermordet!«

Das Känguru wechselt das Nasenloch.

»Der Pathologe fand bei der Autopsie ein übergroßes Wick-Blau, welches Jefgeni-Weitz so tief in den Rachen ge-steckt wurde, dass er elend daran erstickte. Seine Mitarbeiter haben die Warnung verstanden und entwickeln seither neue Geschmacksstoffe für Pullmoll.«

»Die Geschichte kannte ich schon«, sage ich.

»Ach ja?«, fragt das Känguru. »Hast du sie mir erzählt?«

»Ich habe sie mir sogar ausgedacht«, sage ich.

»Sie ist drum nicht weniger wahr«, sagt das Känguru, wäh-rend es sich ein Erkältungsbad einlässt. »Im Übrigen finde ich, dass man mal ein paar Milliardäre mit Aids infizieren müsste. Das würde das Entdecken eines Heilmittels erheblich beschleunigen. Dann würden vielleicht Gelder von der Anti-Haarausfall-Forschung abgezwackt werden.«

Nachmittags sitzen wir bei einem »Atme-dich-frei«-Tee in der Küche.

»Die Pharmaindustrie hat doch gar kein Interesse daran, dass man wieder gesund wird«, sagt das Känguru nachdenklich und nippt an seinem Tee. »Im Gegenteil! Je länger man krank ist, desto mehr verdienen die. Es steht also zu vermuten, dass ihre Mittel sogar kränker machen.« Kurz hält es inne. »Ich möchte dir etwas aus dem abenteuerlichen *Simplicissimus* vorlesen.«

Ich seufze.

Das Känguru zieht ein altes Buch aus seinem Beutel: »›*Ach! Ich danke meinem Gott, daß er mir nicht mehr überflüssig Geld beschert hat, als ich vermag; denn hätte mein Doktor noch mehr hinter mir gewußt, so hätte er mir noch lang nicht zur Sauerbrunnen-Kur geraten, sondern ich hätte zuvor mit ihm und seinen Apothekern, die ihn deswegen alle Jahr schmieren, teilen müssen, und hätte ich darüber sterben und verderben sollen.*‹ Das ist von 1669! Verstehst du?«

»Das Problem ist bekannt«, sage ich.

»Das Problem ist bekannt!«, ruft das Känguru. »Seit Jahrhunderten!«

Das Känguru liegt, von Rotlicht bestrahlt, in eine Decke eingewickelt, in seiner Hängematte und winkt mir mit einem Buch. »Hier«, ruft es. »Proust: ›*Auf die Attacke, die die Ärzte mit Medikamenten heilen (jedenfalls soll so etwas schon vorgekommen sein), erzeugen sie zehn neue bei ganz gesunden Leuten, indem sie ihnen jenen pathogenen Wirkstoff einimpfen, der tausendmal virulenter als alle Mikroben ist, die Idee der Krankheit.*‹ Aha! Einer der miesesten Tricks der Pharmalobby ist ja, von der Öffentlichkeit unbemerkt dafür zu sorgen, dass die Unbedenklichkeitsgrenzwerte, zum Beispiel für Cholesterin, Blutzucker oder Bluthochdruck, immer niedriger angesetzt werden. Daduch werden Millionen eben noch gesunder Menschen einfach als krank definiert und müssen nun auch Pillen schlucken.«

»Ein Gesunder ist nur falsch untersucht«, sage ich. »Grundsatz der modernen Medizin.«

Das Känguru setzt sich auf und schluckt zwei Tabletten.

»Was mir im Übrigen aufgefallen ist ...«, sage ich.

»Ich weiß selbst, dass ein Abgrund klafft zwischen meinen Worten und meinen Taten«, sagt das Känguru eingeschnappt. »Und ich persönlich bedaure das am meisten!«

Es träufelt sich Tropfen in die Augen.

»Zu meiner Verteidigung möchte ich nur sagen, dass Molière in den ersten Aufführungen seines Stückes die Hauptrolle des eingebildeten Kranken selbst gespielt hat, dass er aber schwer krank war und bei der vierten Aufführung einen Schwächeanfall erlitt und kurze Zeit später, noch im Kostüm, verstarb.«

»Verstehe«, sage ich. »Man sollte nicht generalisieren.«

»Doch natürlich soll man generalisieren«, sagt das Känguru. »Nur für mich mache ich eine Ausnahme.«

Es zieht wieder ein Buch aus seinem Beutel.

»Abschließend möchte ich noch einen utopischen Gegenentwurf zitieren aus einem anderen Werk der Weltliteratur. Horst Eckert, genannt Janosch, ›Ich mach dich gesund, sagte der Bär‹«, sagt es und liest: »›Ich verordne‹, sagte Doktor Brausefrosch, ›für den Tiger dreimal pro Tag allerbeste Leibspeise mit Lieblingskompott.‹«

»Soll ich dir gefüllte Eierkuchen machen?«, frage ich.

»Ja«, sagt das Känguru nickend. »Ich sehe, wir verstehen uns. Und Schnapspralinenkompott bitte!«

Kapitel 11: »Der hippokratische Neid«

»Oma! Du hast aber viele bunte Bonbons!«

»Da brauchst du gar nicht neidisch sein auf Oma. Das sind keine Bonbons. Das sind Tabletten, mein Junge.«

»Warum musst du denn Tabletten nehmen, Oma?«

»Oma hat doch immer so schlimme Bauchschmerzen und darum nimmt sie die weißen Pillen. Nur bekommt Oma von denen weißen Pillen leider Kopfschmerzen, welche sie mit den gelben Pillen bekämpft. Die gelben Pillen sorgen bedauerlicherweise auch dafür, dass Oma ganz schlecht schlafen kann. Deshalb nimmt Oma die roten Pillen, wegen denen sie – Gott sei's geklagt – furchtbar schlechte Laune bekommt und traurig wird. Doch dagegen helfen die schwarzen Pillen. Nur leider bekommt Oma von denen immer so schlimme Bauchschmerzen. Aber dafür hat Oma ja zum Glück die weißen Pillen.«

NACH DEM
KRIEG

»Ich hab ein neues Gedicht«, sage ich. »Es heißt *Nach dem Krieg*.«

»Na das klingt ja witzig«, sagt das Känguru.

»Ist auch witzig«, sage ich. »Es heißt ja nicht *Im Krieg*.«

Ich deklamiere:

»*Nach dem Krieg*

Nachdem man entschied, der Krieg würde sich nicht mehr lohnen
Fasste man einen folgenschweren Entschluss
Man teilte das Land in vier Besatzungszonen
T-Mobile, O2, vodafone und e-plus.

Ein gewisser Romeo war zu dieser Zeit auf Brautschau
und traf eine gewisse Julia, sie trug helles Blaukraut-Blau
Romeo trug wie immer dezentes Magenta
Ach, herrje. Ja, der Kenner erkennt da
– wie unangenehm –
schon das Problem
denn, sie fanden sich zwar beide ziemlich geil
doch sie war eine O2 und er ein T-Mobile.

Ende.«

»Ende?«, fragt das Känguru.

»Jo«, sage ich. »Ich wollt noch schreiben, wie sie miteinander schlafen und dann später streiten, ob der Klingelton – weil er hat sich seinen Handywecker gestellt – jetzt wie 'ne Lerche klang oder wie 'ne Nachtigall, und am Ende stellt sich Julia tot, um aus ihrem Vertrag rauszukommen, und er tötet sich dann wirklich, weil er denkt, jetzt verfallen ihre Bonuspunkte und so, aber na ja.«

»Hatteste keine Lust mehr?«, fragt das Känguru.

»Nee«, sage ich.

»Den Rest kann man sich ja denken«, sagt das Känguru.

»Romeo-und-Julia-Adaptionen sind eh so was von 1996«, sage ich. »Muss jetzt auch los. Rage against the Machine spielen ja heute Abend in der O2-World-Arena ihr großes Reunion-Konzert.«

»Cool!«, ruft das Känguru. »Ich komm mit.«

»Vergiss es«, sage ich. »Als Prepaid-Kunde kommste da nicht rein.«

FISCHE

»Wir sind wie Fische, die den See leer saufen, in dem sie schwimmen«, lallt das Känguru. »Wir sind wie Fische ...«, wiederholt es noch mal, dann kippt es nach hinten vom Barhocker.

Die zwei Männer neben uns sind aufgesprungen.

»Lasst es liegen!«, gröle ich. »Des kommt schon wieder hoch ...«

Ich schlage auf meine Armbanduhr.

»K.I.T.T., Kumpel! Ich brauch dich hier.«

»Tschiu, tschiu«, macht das Känguru, ohne die Augen zu öffnen.

Zwei Minuten vorher:

»Haste früher eigentlich ›Knight Rider‹ gekuckt?«, lallt das Känguru, während es von der Theke runtersteigt.

»Klar«, sage ich und kippe noch einen Schnaps.

»Warst also echt David-Hasselhoff-Fan, oder was?«, fragt das Känguru und kippt mit.

»Quatsch«, rufe ich empört. »Ich hab des gekuckt wegen dem Auto, Mann. Wegen K.I.T.T.!«

Das Känguru zieht an seiner Zigarre, blickt sich suchend um und flucht: »Wieso gübbsen hier keine Aschenbecher? Scheißladen.«

Ich packe mich selbst am Genick und hebe meinen Kopf wieder von der Theke.

»Und warste dann auch auf 'nem Hasselhoff-Konzert?«, fragt das Känguru.

»Näh«, sage ich verächtlich. »Aber wenn das Auto ein Konzert gegeben hätte – da wäre ich hingegangen.« Ich trinke einen Schluck. »Tschiu, tschiu«, imitiere ich die klassischen K.I.T.T.-Geräusche. »Tschiu, tschiu – verstehste?«

Das Känguru muss aufstoßen.

»Hoff Hoff«, sagt es.

»Na ja. So ungefähr«, lalle ich und blicke mich in der Kneipe um. Angewidert hole ich mein Handy aus meinem halbvollen Bierglas. »Ich glaube, diese Zivilisation hat sich überlebt.«

»Wir sind wie Fische ...«, sagt das Känguru.

»Was?«

Fünf Minuten vorher:

»Freiheit?«, ruft das Känguru und steigt auf den Tresen. »Ihr fragt mich, was Freiheit ist?«

Ich versuche darauf hinzuweisen, dass keiner gefragt hat, komme aber nicht durch, denn ...

»Freiheit ist, nicht erreichbar zu sein!«, ruft das Känguru und lässt mein Handy in mein halbvolles Bierglas fallen.

»Das schöne Bier«, murmle ich.

»Süße Freiheit!«, ruft das Känguru.

Ich stolpere zur Musicbox.

»One morning in June some twenty years ago
I was born a rich man's son
I had everything that money could buy
But freedom – I had none«

Das Känguru beginnt auf der Theke zu tanzen und singt aus tiefster Seele: »I've been lookin' for freedom …«

Drei Minuten vorher:

»Genau. Und wer ist schuld daran?«, flucht das Känguru und gönnt sich einen großen Schluck Bier. Beiläufig steckt es den Aschenbecher in seinen Beutel.

»Der Kapitalismus?«, rate ich ins Blaue hinein.

»Genau!«, ruft das Känguru und schiebt mir sein Handy hin. »Im Kapitalismus geht das perfekte Produkt nämlich einen Tag nach Ablauf der Garantiezeit kaputt.«

»Is kaputt?«, frage ich.

»Weißt du, was ich an dir mag?«, fragt das Känguru. »Du stellst immer so scheißintelligente Fragen. Da merkt man gleich, dass einer mitdenkt.«

»Tu mein Bestes«, sage ich.

»Das glaube ich«, sagt das Känguru. »Darum will ich dir jetzt einen Gefallen tun. Weißte, was Freiheit is?«

»Nee.«

»Gib mal dein Handy.«

»Aber nich kaputtmachen.«

»Großes Pionierehrenwort!«, sagt das Känguru. Es leert sein Bier. »Bäh. Wassen des für 'ne braune Schlonze am Boden von meinem Glas?«

Vier Minuten vorher:

»So, jetzt erzähl«, sagt das Känguru. »Was bedrückt dich?«

»Ach«, lalle ich. »Ich werd älter. Ich krieg 'nen Bauch, bin zu mittelmäßig, zu durchschnittlich.«

»Also unter uns«, sagt das Känguru. »Du solltest an deiner Krise arbeiten. Die ist ziemlich durchschnittlich.« Es muss aufstoßen. »Schreib doch'n Buch.«

»Ein Buch?«

»Jo. 'nen Bildungsroman.«

»Was?«

»Nur so'n Vorschlag. Weil weißte, mir ist ein guter Titel eingefallen für so 'nen Bildungsroman.«

»Ich höre ...«

»Volker hört die Signale.«

»Hm.«

»Weil weißte, der Protagonist, den müssteste denn halt Volker nennen.«

»Und der hört die Signale.«

»Genau.«

»Dass alles vor die Hunde geht?«, frage ich.

»Genau!«

Das Känguru wirft drei Schnapspralinen in sein Bierglas.

»Und wer ist schuld daran?«, ruft es.

Sechs Stunden vorher:

»Kommste noch kurz mit in die Kneipe?«, fragt das Känguru.

»Aber nur kurz«, sage ich.

ANGRiFF DER KiLLER- SOZiOLOGEN

Der Regen fällt schwer und bedrohlich in die menschenleeren Häuserschluchten. Ich laufe durch die Stadt auf der Suche nach dem Gespenst des Kommunismus. Seit wir uns letztens über der Frage »Wer ist besser: Bud Spencer oder Terence Hill?« zerstritten haben, hat es sich nicht mehr bei uns blicken lassen. Die kalte Nachtluft hat mich etwas ernüchtert. Das Känguru habe ich auf seinen eigenen Wunsch hin unter der Theke liegen lassen. Plakate auf den Bauzäunen kündigen eine lange Nacht des Shoppings an. In einem Einkaufszentrum in der Nähe treten heute Nacht Tito & Tarantula auf. Ich taumele in eine kleine Seitenstraße hinein, die sich als Sackgasse entpuppt, und merke zu spät, dass ich in einen Hinterhalt geraten bin. Eine junge, hübsche Studentin lauert mir auf und bedroht mich brutal mit einem Fragebogen: »Hallo! Haben Sie einen Moment Zeit?«

Ich reagiere blitzschnell. Wie es mir in dem VHS-Kurs »Selbstverteidigungs-Tai-Chi« beigebracht worden ist, verwirre ich sie erst mit der Figur »Wildgans im Flug«, deute dann plötzlich ins Nichts, und sobald ihr Blick meinem Finger folgt, trete ich ihr gegen das Schienbein und renne davon.

»Bleiben Sie doch stehen!«, schreit sie und nimmt die Verfolgung auf. »Ich habe nur ein paar Fragen an Sie!«

Eiskalt spüre ich ihren Soziologen-Atem in meinem Nacken. Ihre ausgestreckten Arme versuchen mich zu greifen.

»Wenn am Sonntag Wahl wäre, würden Sie dann am Montag eine Digitalkamera kaufen?«

Ich stecke mir meine Finger tief in die Ohren und singe Kinderlieder, um der Angst Herr zu werden. Wir sind allein auf der Straße. Die Fensterläden der Anwohner sind alle fest verschlossen, die Türen der Geschäfte sind verbarrikadiert.

»Haben Sie sich vor kurzem ein neues mobile phone gekauft?«, ruft sie. »Wenn ja, when do you normalerweise buy das nächste? 28 days later? 28 weeks later?«

Ich renne am erleuchteten Schaufenster einer Bankfiliale vorbei. Plötzlich klatscht von innen ein Soziologe gegen die Scheibe und schreit: »Wie bewerten Sie die gegenwärtige wirtschaftliche Lage? Ja? Nein? Vielleicht? Nur ficken?«

Adrenalin schießt durch meine Blutbahnen. Ich hetze weiter.

»Wie oft haben Sie Geschlechtsverkehr?«, ruft die Soziologin hinter mir. »Wie lang? Mit wem? Mit wie vielen? Und wozu? Und wenn Sie keinen Sex haben, warum sind Sie so eine Lusche?«

Von ihrem Geschrei angelockt, tauchen aus allen Ecken noch mehr Soziologen auf und schließen sich der Hetzjagd an: »Wie viel verdienen Sie?«, »Verdienen Sie mehr als Ihr Nachbar?«, »Arbeiten Sie gern für Ihren Konzern?«, »Was essen Sie am liebsten? Die Tütensuppen von Maggi oder die Tütensuppen von Knorr?«, »Wie beurteilen Sie die Arbeit der Bundesregierung? Sehr positiv? Positiv? Oder eher positiv?«, »Bitte antworten Sie möglichst spontan: Haben Sie schon einen digitalen Bilderrahmen, und wenn nicht ...«

Plötzlich fällt ein Schuss. Aus einem Fenster im fünften Stock eines Wohnhauses lugt ein Gewehrlauf. Ein Soziologe hält sich die blutende Schulter, da wird ein zweiter von einem Schuss getroffen und geht zu Boden. Im Fallen ruft er noch:

»Welche Patronen verwenden Sie? Wie oft laufen Sie Amok? Einmal im Monat, einmal in der Woche, häufiger als einmal in der Woche?«

Die Hälfte der Soziologenmeute stürmt nun das Haus.

»Hatten Sie eine schwere Kindheit?«, »Spielen Sie Killerspiele?«, »Waren Sie im Schützenverein?«

Der Rest der Rotte rennt weiter hinter mir her.

»Ihre Postleitzahl bitte!«, »Ein Pfennig für Ihre Gedanken!«, »Wer ist Ihrer Meinung nach die geilste deutsche Wetterfee?«

Da sehe ich ein Licht in der Ferne. Die lange Nacht des Shoppings! Das Einkaufszentrum! Ich renne darauf zu, rette mich hinein und blockiere den Eingang mit den riesigen »Ihre Meinung ist uns wichtig«-Boxen. Am Ende meiner Kräfte lasse ich mich auf den Boden fallen und atme tief durch. Es schlägt zwölf Uhr. Tito & Tarantula rocken los. Und da kriechen sie hervor. Hinter den Regalen. Unter den Rolltreppen. Aus den Kühltruhen. Und ich weiß, dass es um mich geschehen ist. Die Soziologenmeute kreist mich ein, und von hinten links, von vorne rechts, von überall her höre ich sie fragen: »Wer ist besser: Bud Spencer oder Terence Hill?«

»Terence Hill«, hauche ich mit letzter Kraft.

Da springt die Rolltreppe an. Darauf steht das Känguru. Es hat ein rotes Tuch um seine Stirn gewickelt und einen Rasenmäher aus der Gartenabteilung um seine Brust geschnallt. Böse funkeln die scharfen Schneidemesser in unsere Richtung. Vrrruuumm. Das Känguru zieht an der Strippe, der Motor springt an. Vrrruuumm.

»Party is over«, sagt das Känguru und hüpft von der Rolltreppe auf die Soziologen zu.

Ich schließe die Augen. Vrrruuumm.

»Auf einer Skala von 1 bis 10: Wie zufrieden sind Sie mit diesem Rasenmähähahharrgähh…« Vrrruuumm.

»Denken Sie aufgrund der hohen Benzinpreise darüber nach, sich einen Elektorasenmäääähährrrgg …« Vrrruuumm.

»Würden Sie dieses Produkt weiterempfehlen? Und wenn nicht, welchehharrgääeehh …« Vrrruuumm. Vrrruuumm.

»Glauben Sie, dass gewaltverherrlichende Filme die Psychäährrrghh …« Vrrruuumm.

Als alles vorbei ist, liegen die Soziologen zerstückelt am Boden.

»Haben Sie schon mal darüber nachgedacht …«, röchelt ein abgetrennter Kopf noch, »… zu einer privaten Krankenkasse zu arrghh …«

»Alles okay?«, fragt mich das Känguru. »Oder haben sie dich angesteckt mit ihrem Meinungsmüll? Bist du …«

CLOSE-UP: Die Augen des Kängurus verengen sich zu wild entschlossenen Schlitzen.

»… infiziert?«

HALBNAH: »Nein …«, sage ich schwach. »Und du? Wie geht es …?«

HALBTOTALE: »Wie soll es mir schon gehen?«, fragt das Känguru und schnallt angewidert den Rasenmäher ab. »Mir scheint die Sonne aus dem Arsch.«

TOTALE: Es packt mich und schleppt mich zurück in die Kneipe. Mir wird dunkel vor Augen.

FADE-OUT.

Als ich später mit dem Kopf auf dem Tresen aufwache, ist das Känguru schon beim Frühschoppen und streitet die komplette Begebenheit ab. Es stützt mich auf dem Weg nach Hause. Wir machen uns noch 'ne Portion Spaghetti vor der Tiefschlafphase. Wir mampfen und scherzen. Plötzlich spüre ich ein Drücken in der Magengegend. Ich falle rücklings auf den Küchentisch. Ein kleiner Soziologe bricht aus meinem blutenden Brustkorb und schreit: »Plagen Sie Existenzängste? Drücken Sie finanzielle Sorgen? Haben Sie manchmal Alpträume?«

WOANDERS

Ich wache auf. Jemand hat mein Gehirn in einen Schraubstock gespannt und dreht diesen ganz langsam zu.

»Ich laufe durch einen Wald«, murmle ich. »Ich atme ein. Ich atme aus. Ich laufe durch einen ruhigen Wald.«

Das Känguru poltert zur Tür herein. »Was geht'n hier?«, ruft es.

»Pssst«, flüstere ich, ohne mich im Bett zu bewegen.

Meine Augen sind bedeckt von einer dicken blauen Maske. Rotlicht strahlt auf meinen Kopf. Die Vorhänge sind zugezogen, meine Beine habe ich angewinkelt auf zwei Decken liegen.

»Ist das 'ne Kunstinstallation?«, flüstert das Känguru. »Toter auf 'nem Maskenball oder so?«

»Ich hab Migräne«, presse ich wenig erheitert zwischen meinen Zähnen hervor, »und jetzt sei leise, während du die Tür hinter dir zuziehst und aus meinem Zimmer verschwindest.«

»Is ja gut«, sagt das Känguru. »Eine Laune hat der Herr.«

Es trottet in sein Zimmer und legt Nirvana auf.

»Aus«, murmle ich. »Ausmachen ...«

Das Känguru beginnt mitzugrölen. Gleich darauf beginnt es zu hämmern. Dann dringt mordbrennend das Geräusch eines Bohrers in meinen auditiven Kortex ein. Auf seinem Weg hat es geschätzte 13,57 Prozent meiner Großhirnrinde für immer verwüstet.

»Ruhe!«, schreie ich.

Das Känguru reißt die Tür auf und nimmt seine Ohrschützer runter.

»Was?«, schreit es.

»Pssst«, sage ich.

»Was?«, flüstert das Känguru.

»Ruhe«, sage ich.

Das Känguru holt eine Fernbedienung aus seinem Beutel und macht die Musik leiser.

»Aber ich muss meine Installation noch fertigzimmern«, sagt es, »für dieses Kunstdingens heute Abend. Ist so'n Off-Künstler-Festival, beziehungsweise Off-Off-Künstler. Off-Off-Off-Künstler.«

»Woanders«, murmle ich schwach.

»Woanders....«, wiederholt das Känguru grübelnd.

»Mhm.«

»Hm.«

Dann verlässt es die Wohnung.

»Ich atme ein. Ich atme aus«, murmle ich. »Ich stehe auf einem einsamen Berg. Ich atme ein. Ich atme aus. Ich bin völlig ruhig. Ich at…«

Ich wache auf. Das Känguru ist wieder da.

»Sie wollten das Werk ja vorher sehen«, flüstert es. »Ich nenne es ›Der moderne Mensch‹.«

»Sehr interessant«, dröhnt eine mir fremde Stimme.

»Pssst!«, sage ich.

»Das Verlangen nach Ruhe«, flüstert die fremde Stimme.

»Pssst«, sage ich.

»Die ihm natürlich verwehrt bleibt«, sagt das Känguru.

Ich stöhne.

»Tragisch«, sagt die Stimme. »Die Maske sehe ich als

Zeichen der Entfremdung, der Entmenschlichung. Sie beziehen sich hier im theoretischen Überbau auf Marx, nehme ich an.«

»Unter anderem«, sagt das Känguru.

»Ruhe«, murmle ich.

»Das Rotlicht als Symbol für die alltägliche Prostituierung im Kapitalismus?«

»Sicher, sicher. Die Bedeutungsebenen sind hier sehr vielschichtig«, sagt das Känguru.

»Natürlich«, sagt der Mann. »In Rekursion auf Yoko Onos Bed-ins für den Weltfrieden, auf welche Sie sich hier ganz offensichtlich beziehen, könnte das Rotlicht natürlich auch eine Verheißung sein, für die rote Sonne eines neuen sozialistischen Morgens stehen.«

»Oder in Rekursion auf *Die Flippers* für die rote Sonne von Barbados«, sagt das Känguru.

»Woanders«, murmle ich.

»*Die Flippers?*«, fragt der Mann grübelnd. »Ich muss gestehen, dass mir nicht alle Fluxus-Künstler geläufig sind. Helfen Sie mir auf die Sprünge …«

»Die haben in den 80ern ziemlich große Happenings veranstaltet«, sagt das Känguru. »Haben auch Videokunst gemacht.«

»Ich gehe durch einen ruhigen Wald«, murmle ich.

»Die Sehnsucht nach einer Rückkehr zur Natur. Sehr schön.«

»Dazu müssen Sie noch beachten, wie er die Beine, quasi in angedeuteter Embryonal-Haltung, angewinkelt hat«, sagt das Känguru.

»Zurück in den Mutterleib«, sagt die Stimme. »Wollen wir das nicht alle?«

Beide lachen.

»Ich atme ein«, sage ich grimmig. »Ich atme aus.«

»Der Wunsch, die Komplexität der Realität auf ein beherrschbares Maß herunterzubrechen. Luhmann erkenne ich. Max Weber auch. Hannah Arendt. Derrida und Deleuze. Haben Sie bei der Konzeption auch Žižek herangezogen?«

»Sicher, sicher«, sagt das Känguru. »Kant, Nietzsche, Wittgenstein. Der ganze Gesangsverein.«

Plötzlich lacht der Mann laut auf und zeigt auf mein halbgegessenes Frühstück. Ein Margarinebrot.

»Beuys!«, sagt er lachend. »Fabelhaft! Ich mag Ihren Humor!«

»Aufhören«, murmle ich. »Ruhe. Woanders.«

»Brillant«, sagt der Mann. »Ich muss schon sagen ... Die leisen Anspielungen auf den Moskauer Konzeptualismus der achtziger Jahre ... Absolut preisverdächtig.«

»Ja, ich bin selbst sehr angetan von dem Werk«, sagt das Känguru.

»Dann müssen wir jetzt nur noch den Transport zum Festival klären«, sagt der Mann.

Das Känguru nimmt mir sanft die Maske von den Augen.

»Hast du eigentlich heute noch was vor?«

REKLAMATION

Nach einem Ausflug ins Grüne, haben wir uns auf einem Friedhof verlaufen, weil das Känguru meinte, eine Abkürzung zu kennen. Plötzlich bleibt das Beuteltier stehen. Es hat das Grab von Werner von Siemens entdeckt. Ich kratze mich am Kopf.

»Hör mal, Werner«, sage ich. »Ich hab da Probleme mit einem eurer Wasserkocher. Der schaltet sich immer gleich wieder ab, wenn ich ihn anschalte. Kann ich dir den mal vorbeibringen?«

»Und von meinem Handy funktioniert das Display nur noch ab und zu«, sagt das Känguru. »Kann ich dir das gerade mal dalassen?«

Es kramt in seinem Beutel, fischt ein altes Siemens-Handy heraus und legt es vorsichtig neben den Grabstein.

Als wir am nächsten Tag wiederkommen, um auch den Wasserkocher abzugeben, ist Werners letzte Ruhestätte schon komplett unter Elektroschrott begraben.

»Auweia«, sagt das Känguru. »Das könnte länger dauern.«

Ich lege den Wasserkocher auf den Haufen.

»Wenn da jetzt der Blitz einschlagen würde, dann würde bestimmt so ein Cyborg-Zombie entstehen«, mutmaßt das Känguru.

»Ja, aber einer, der immer gleich wieder ausgeht, wenn man ihn anschaltet«, sage ich.

»Und nur ab und zu kann man auf dem Display erkennen, was er von einem will«, sagt das Känguru. »Aber sonst würde er laufen wie geschmiert.«

Ich nicke.

»SIEMENS – läuft wie geschmiert«, sagt das Känguru. »Wär doch ein guter Slogan.«

Ich nicke.

»Wegen dem ganzen Schmiergeld. Verstehste?«

»Ich hab's schon beim ersten Mal kapiert«, sage ich.

»Wäre witzig, wenn jetzt noch jemand kommt und den Transrapid hier ablegt«, sagt das Känguru.

Es donnert.

»Findet Werner, glaub ich, nicht witzig«, sage ich.

Ein Blitz schlägt mitten im Metallhaufen vor uns ein.

»Ich glaube, da bewegt sich was«, sagt das Känguru.

»Zeit zu gehen«, sage ich.

»Sieht aus wie der Shredder«, sagt das Känguru.

»Der von den Ninja Turtles?«

»Ja«, sagt das Känguru. »Weißt du, wenn ich jemals ein Kind bekomme, möchte ich es genauso nennen.«

»Shredder?«, frage ich.

»Nein. Der Shredder«, sagt das Känguru.

»Ein gut gewählter Name«, sage ich. »Für dein Kind bestimmt sehr passend.«

»Krass!«, ruft das Känguru und deutet auf den Müllberg. »Kuck mal! Der Cyborg-Zombie hat sich vollständig aus dem Schrotthaufen erhoben.«

»Hilfe!«, rufe ich. »Er dreht seinen Wasserkocherkopf in unsere Richtung!«

»Hörst du, wie er bedrohlich mit dem Deckel klappert?«, fragt das Känguru.

»Lass mal lieber abhauen!«

»Keine Panik«, sagt das Känguru. »Ich glaub, er ist grad wieder ausgegangen.«

ABLENKUNGS-MANÖVER

Als das Känguru nach Hause kommt, habe ich die Küche blitzblank geputzt und räume gerade die Spülmaschine aus.

»Kann ich dir helfen?«, fragt das Känguru.

»Bin gleich fertig«, sage ich.

»Soll ich das Bad putzen?«

»Schon sauber.«

»Wäsche waschen?«

»Längst gemacht.«

»Müll runterbringen?«

»Bereits erledigt.«

Zufrieden setzt sich das Känguru auf die Eckbank.

»Ich finde es wirklich toll, dass du diesen Buchvertrag bekommen hast.«

»Nicht witzig«, sage ich. Seit dem Tag, an dem ich den Vertrag unterschrieben habe, nehme ich jede Gelegenheit wahr, die mich davon abhält, an dem Buch arbeiten zu müssen. Allein schon in den Notizbüchern meine eigene Handschrift zu entziffern ist unglaublich mühselig. Und dann natürlich noch mein alter Feind aus Kindertagen: die Zeichensetzung.

»Darf ich mal?«, fragt das Känguru und klappt, ohne die Antwort abzuwarten, mein Notebook auf. Es fängt an, das Manuskript zu lesen. Zwischendurch murmelt es vor sich hin: »Das ist aber nicht ganz korrekt hier.«

»Das versteht doch in zwei Jahren schon keiner mehr.«

»Das bedarf auch einer Richtigstellung.«

»Du kannst ja Fußnoten schreiben«, sage ich genervt.[6]

»Ja. Warum nicht«, sagt das Känguru. »Das ist gar keine schlechte Idee.«[7]

»Außerdem, ist deine Zeichensetzung recht seltsam«, fügt das Känguru noch hinzu! »Ständig vergisst du Kommas dafür setzt du, welche an Stellen wo gar keine hingehören. Aber dann ist plötzlich ein Absatz wieder völlig korrekt.«

»Das ist die sogenannte avantgardistische Inkonsequenz«, sage ich murrisch.

»Und weißt du schon, wie das Buch heißen soll?«, fragt das Känguru.

»Nee«, sage ich. »Der Titel ist ja total wichtig. Damit steht und fällt der Erfolg eines jeden Buches. Es muss was sein, wo die Leute sofort denken: Interessiert mich! Will ich! Kauf ich!«

Das Känguru nickt.

»Haste 'nen Vorschlag?«, frage ich.

»Ja«, sagt das Känguru. »Wie wär's mit ›HITLER, TERROR, FICKEN‹?«

Ich blinzle.

»Hm.«

»Ich bin mal die *Spiegel*-Bestsellerliste durchgegangen, und das ist die Essenz«, sagt das Känguru.

»Gewagt«, sage ich.

6 Völlig ohne Grund genervt! (Anm. d. Kängurus)
7 Im Gegenteil. Eine herausragend gute Idee sogar. (Anm. d. Kängurus)

»Du könntest es natürlich auch ›TERROR, FICKEN, HITLER‹ nennen«, sagt das Känguru. »Da entsteht gleich ein anderes Bild. Oder ›FICKEN, TERROR, HITLER‹.«

»Oder ›HITLER, FICKEN, TERROR‹«, sage ich.

»›TERROR, HITLER, FICKEN‹«, sagt das Känguru.

»›FICKEN, HITLER, TERROR‹«, sage ich.

»›TERROR, FICKEN, HITLER‹«, sagt das Känguru.

»Ich glaube, das hatten wir schon«, sage ich. »Aber das mit Hitler. Das macht ja schon der *Spiegel*. Dann sagen die Feuilletons, ich hab das nur geklaut. Weißte, da gibt's ja die große *Spiegel*-Serie ›Neues von Hitler‹.«

»Immer abwechselnd mit ›Neues von der RAF‹.«

»Aber man muss fair bleiben«, sage ich. »Manchmal geht's auch um den Zweiten Weltkrieg.«

»Oder um den deutschen Herbst«, sagt das Känguru.

»Immer topaktuell auf jeden Fall.«

»Vor kurzem hatte ich 'nen *Spiegel* in der Hand, da war sogar 'ne DVD bei«, sagt das Känguru.

»Was war da drauf?«, frage ich. »Hitler – Seine größten Erfolge?«

»Wahrscheinlich«, sagt das Känguru. »Die besten Hits aus den 20ern, den 30ern und dem Anfang der 40er Jahre!«

»Das Wort Hit is ja quasi nur 'ne Abkürzung von Hitler«, sage ich.

»Aber egal. Dann lass halt den Hitler weg und nenn es nur: ›TERRORTERRORFICKENFICKEN‹«, sagt das Känguru. »Ein Wort. Keine Kommas.«

»Schluss jetzt«, sage ich.

»›FICKENFICKENTERRORTERROR‹«, sagt das Känguru.

»Es reicht«, sage ich.

»Ist so ein bisschen Dada. Verstehste?«

»Ich bin doch nicht blöd«,[8] sage ich.

»Da hat man gleich ganz andere Bilder im Kopf«, murmelt das Känguru.

---

8 Apropos. Die Leute, die sich die Media-Markt-Werbung ausgedacht haben, brainstormten beim ersten Meeting bestimmt so vor sich hin, und ich frage mich, ob plötzlich der Chef sagte: ›Lasst uns mal über Farben nachdenken … Was war die letzte Farbkombi, auf die die Deutschen total abgefahren sind?‹ Und wahrscheinlich sind sie so auf schwarz, weiß und rot gekommen … (Anm. d. Kängurus)

Jedenfalls kein Ding der Unmöglichkeit. Immerhin sind das dieselben Leute, die das Volks-Handy, den Volksreceiver und den digitalen Volks-Bilderrahmen anbieten. (Anm. d. Chronisten)

Haste dir mal klargemacht, was Receiver auf Deutsch heißt? (Anm. d. Kängurus)

Ja. (Anm. d. Chronisten)

Widerlich. (Anm. d. Kängurus)

Wenn Sie das lesen können, brauchen Sie keine neue Brille.

ART 2.0

Wir stehen im Museum und begaffen eine Nackte von Picasso. Unter dem Gemälde kleben eine Unmenge Post-it-Zettel. Auf dem obersten steht: *»Boah. Wo hatt die denn ihre Titten?«*

Gemäß dem neuen Museumskonzept kann jeder Besucher unter den Kunstwerken Kommentare hinterlassen.

»Hatte die echt eckige Titen?«

»Der neue Name hätte uns stutzig machen müssen«, sagt das Känguru.

»Und damit verdient der Millionen ...«

»Du meinst, dass sie das Museum für moderne Kunst jetzt MyMuseum nennen?«

»Kennt ihr das Bild von Brittney Spears ohne Slib, wo mann ihre Muschi sieht? Dass solten die lieber hier aufhengen.«

»Und dass es umsonst war, man sich aber registrieren musste, um die Bilder zu sehen«, sagt das Känguru.

»Ich hätte lieber bezahlt«, sage ich. »Ich finde das ganze Art-2.0-Konzept nicht so überzeugend.«

Unter dem Pollock-Gemälde an der Wand gegenüber hängen noch mehr Zettel. Diesmal regt sich das Känguru richtig auf.

»Was denn?«, frage ich.

»So ein lausiges Geschmiere hätte ich auch abliefern können«, steht da.

Das Känguru geht zum Post-it-Block und nimmt den Stift.

»Lass doch«, sage ich. »Das bringt doch nichts.«

Aber es lässt sich nicht abhalten.

»*Hast du aber nicht, Schwachkopf*«, kommentiert es den Kommentar. Der Mann, der neben uns gestanden hat, tritt zum Block.

»*Selber Schwachkopf*«, klebt er unter den Zettel des Kängurus.

»Oje«, denke ich, als sich das Känguru gerade aufmacht, eine weitere Replik zu verfassen, »das wird wieder länger dauern.«

Kuschelmaus34: »So eine lausige Geschichte hätte ich auch abliefern können.«

Vor 18 Stunden * Gefällt mir

MasterJuggler: »Kann man das überhaupt Kleinkunst nennen?«

Vor 13 Stunden * Gefällt mir

Ortographie-Checker: »Ist das Kleinkunst, oder kann das weg?«

Vor 3 Stunden * Gefällt mir

Penispumpenshop24: »Sucks.«

Vor 2 Minuten * Gefällt mir

VORSORGE-UNTERSUCHUNG

»Meiner Ansicht nach gibt es keinen gesunden Patriotismus«, sagt das Känguru. »Im Gegenteil. Patriotismus scheint mir immer ein Zeichen von Idiotie zu sein.«

Natürlich sagt es das nicht irgendwo. Sondern während der öffentlichen Live-Übertragung eines Fußball-Länderspiels. Natürlich sagt es das nicht zu irgendwem, sondern zu einem Typ in einem schwarz-rot-goldenen Flaggenumhang, mit einer schwarz-rot-goldenen Narrenkappe auf dem Kopf und einem komplett schwarz-rot-gold gestrichenen Gesicht.

»Es gibt also nur kranken Patriotismus«, fährt das Känguru fort. »Gesunder Patriotismus klingt für mich ein bisschen wie ›gutartiger Tumor‹. Es ist vielleicht nicht direkt lebensgefährlich, aber es ist immer noch ein Tumor.«

»Ey, du bist ja voll krank!«, sagt unser schwarz-rot-goldener Freund und lacht.

»Nein. Aber Sie vielleicht«, sagt das Känguru todernst. »Deshalb würde ich gerne eine Vorsorgeuntersuchung mit Ihnen machen, denn auf so einen gutartigen Tumor muss man höllisch aufpassen, sonst mutiert der eines Nachts unbemerkt zu einem bösartigen.«

»Du musst noch erwähnen, dass die Krebsvorsorge von der Kasse aber nicht bezahlt wird!«, sage ich. »Der Staat greift höchstens ein, wenn's schon zu spät ist.«

»Ey, seid ihr etwa für die anderen?«, fragt unser Patient nun verwirrt.

»Keineswegs«, sagt das Känguru. »Aber Ihre Frage ist schon symptomatisch für das Konkurrenzdenken, das mit dem ...«

»Wir putzen euch weg!«, ruft der Patient dazwischen. »Olééééé, olé, olé, olééééé!«

Das Känguru fächelt sich Luft zu.

»Die Fahne in der Hand geht oft einher mit der Fahne aus dem Mund«, sagt es zu mir in einem Tonfall, als wäre es Chefarzt und ich Medizinstudent im ersten Semester. »Der Patriotismus hat ja, was unter Onkologen unstrittig ist, einen kleinen, fiesen Bruder namens Nationalismus, welcher unbemerkt im Schatten seines großen Bruders wächst und gedeiht, bis er groß genug ist, selbst nach der Macht zu greifen. Oder anders ausgedrückt: Nur in einem patriotisch aufgeheizten Treibhaus kann Rassismus gedeihen. Deshalb muss ein wirklicher Antifaschismus dieses Treibhaus zerschlagen.«

»Ach. Ihr habt wohl immer noch so ein gestörtes Verhältnis zur Geschichte«, sagt unser Patient.

»Au contraire!«, ruft das Känguru. »›Sechzig Millionen Tote. Na ja. Schwamm drüber‹ – das nenne ich ein gestörtes Geschichtsverhältnis.«

»Ich glaube, du musst das einfach etwas entspannter sehen«, sagt der junge Patient. »Ist doch nur Spaß.«

»Ach, ich sehe das ganz entspannt«, sagt das Känguru. »Ich sehe das sogar viel entspannter als Sie. Soll ich es Ihnen beweisen?«

Es holt ein Feuerzeug und ein kleines schwarz-rot-goldenes Cocktail-Fähnchen aus seinem Beutel.

»Ey nee, oder?«, fragt unser Patient ungläubig.

»Sehen Sie, wie entspannt ich bin?«, fragt das Känguru

und zündet das Feuerzeug. »Wie furchtbar entspannt ich bin ... Für mich ist das nur ein Stückchen Papier.«

Das Känguru verbrennt das Minifähnchen und schnippt den verkohlten Zahnstocher in die Luft. Der Patient starrt erst noch einen Moment fassungslos auf das Feuerzeug und bringt dann schnell seinen Umhang aus der Reichweite des Kängurus.

»Sie scheinen mir eher verkrampft«, sagt das Känguru. »Für mich besteht kein erhöhtes Infarktrisiko, nur weil ich der sportlichen Betätigung mir persönlich nicht näher bekannter Werbebannerträger televisionär beiwohne.«

Dann wendet es sich an mich: »Sehen Sie, wie das Blut in seinen Schläfen pulsiert?«

Ich kann sehen, wie ein Äderchen in seinem Auge platzt.

»Wissen Sie ...«, sagt das Känguru wieder zu seinem Patienten. »Ich habe noch nie jemanden mit einer Fahne in der Hand etwas Intelligentes sagen hören.«

Es macht eine kurze Pause. »Wollen Sie das ändern?«

Mühsam kontrolliert der Patient seine Atmung.

»Wollen Sie nichts dazu sagen?«, fragt das Känguru. »Vielleicht olé, olé?«

»Willst du dich prügeln, oder was?«, schreit der Patient. »Warum schiebst du hier so 'ne Provo-Nummer? Willst du eins aufs Maul?«

»Nein. Tut mir leid«, sagt das Känguru. »Das war auch nichts sonderlich Intelligentes.«

Dann holt es den Boxhandschuh aus seinem Beutel und schlägt den Typ k.o.

»Beuteltier!«, sage ich leicht verärgert. »Du kannst doch nicht einfach immer die Leute umhauen!«

»Wieso nicht?«, fragt das Känguru. »War doch sein Vorschlag.«

DIE PARTY

Wir stehen vor der Tür.

»Und hörst du: Nicht über Politik reden!«, flüstere ich noch mal.

»Ja, ja«, sagt das Känguru.

»Wir gehen nicht auf diese Party, um uns zu amüsieren. Wir sind hier, weil mir diese Leute meinen Film finanzieren sollen.«

»Ist klar«, sagt das Känguru.

»Du hast es versprochen.«

»Jetzt klingel endlich.«

»Und keinen Alkohol.«

Das Känguru gähnt.

»Ich glaube, es war ein Fehler, dich mitzunehmen«, sage ich seufzend. Das Känguru klingelt, sofort wird die Tür aufgerissen.

»Hiiii!«, sagt eine trendig gekleidete Frau, und das langgezogene ›i‹ hat verblüffende Ähnlichkeit mit dem Geräusch eines Zahnarztbohrers. »Kommt herein in unser kleines Penthouse! Das ist unser Wohnzimmer. Der Pool ist auf der Dachterrasse.«

»Wahnsinn«, staune ich, »das ist ja riesig.«

»Was macht denn das Auto im Wohnzimmer?«, fragt das Känguru.

»Ach das. Wir haben einen Garagenaufzug, durch den wir das Auto direkt in der Wohnung parken können.«

»Und das in Kreuzberg«, sagt das Känguru.

Ich blicke es böse an.

»Ich mein ja nur«, sagt das Känguru. »Das muss doch nerven, wenn jedes Mal am 30. April alle Bekannten ankommen und fragen, ob sie für die Nacht ihr Auto in eurem Wohnzimmer parken könnten.«

»Ahaha ...«, lacht die Frau künstlich.

»Ahaha ...«, lacht auch das Känguru. Zum Glück klingelt es schon wieder, und mit einem entschuldigenden Achselzucken verschwindet unsere Gastgeberin Richtung Tür. Wir mischen uns unter die Partygäste. Ich suche nach den furchtbar wichtigen Leuten, das Känguru nach dem Buffet. Auf diesen Partys gibt es eigentlich nur zwei Kategorien von Menschen: die, die dich kennen, die du aber nicht kennst, und die, die du kennst, die dich aber nicht kennen.

»Marc-Uwe! Kommen Sie, kommen Sie!«, winkt mich mein Agent heran. »Darf ich vorstellen? Das ist unser Gastgeber!«

»Erzählen Sie uns doch mal von Ihrer Filmidee, Marc-Uwe«, sagt der Gastgeber nach dem Begrüßungsgeplänkel.

»Also«, sage ich. »Die Idee habe ich schon ganz lange. Der Film soll heißen: ›Die dürren Jahre sind vorbei‹.«

Ich mache eine kurze Pause, um das sacken zu lassen.

»Hervorragend!«, sagt mein Agent. »Tolle Idee.«

»Es geht um eine Gruppe Yuppies, die in die Wohnungen von Hippies einbrechen ...«, fahre ich fort, »und dann stellen die alle Möbel um.«

Wieder mache ich eine Pause. Die Runde hängt an meinen Lippen.

»Und dann kommen die Hippies nach Hause und merken gar nix.«

»Hervorragend!«, sagt mein Agent. »Tolle Idee.«

»Das ist so ganz grob die Handlung«, sage ich. »Mit nur zehn Millionen Euro ist das machbar, denke ich.«

»Ich weiß nicht«, sagt ein junger Mann, der bisher nur schweigend neben dem Gastgeber gestanden hatte. »Ich finde das nicht so überzeugend. Ich finde, Kunst muss radikaler sein. Muss verstören. Muss den Leuten auf die Füße treten.«

Das Känguru ist herbeigekommen. Es stand die ganze Zeit an der Bar, in ein sichtlich langweiliges Gespräch verwickelt, und kippte einen Sekt nach dem anderen. Jetzt reicht es mir unauffällig einen Zettel. Darauf steht: »Worte, die ich in abendlichen Gesprächen auf Partys nie mehr hören will: Set-up, Systemeinstellungen, Netzwerkumgebung.«

Ich schreibe darunter: »Worte, die ich heute Abend nicht von dir hören will: Kapitalismus, Schweinesystem, Vietcong.«

»Das ist übrigens mein Sohn«, sagt unser Gastgeber und stellt uns den circa zwanzigjährigen Querulanten vor. »Er wird Ihnen gefallen. Auch so ein Weltverbesserer. Hahaha. Er will in die Politik gehen.«

»Tatsächlich?«, frage ich müde.

»Ja, aber erst so mit vierzig oder so. Vorher will ich noch in die Wirtschaft und genug Geld verdienen, damit ich dann unabhängig bin.«

»Prima Idee«, sage ich in diesem leicht ironischen Tonfall, den die Leute leider nie mitbekommen. »Und was studierst du? BWL?«

»Ich mache meinen Master of Business Administration in Controlling and Finance.«

»Da hab ich auch schon 'ne prima Weltverbessererpartei für dich«, sagt das Känguru und wendet sich ab. »Sie nennt sich FDP.«

»Ja. Darüber habe ich auch schon nachgedacht«, sagt der

Junge. »Papa ist ja bei den Grünen gewesen. Aber das ist mir immer noch viel zu realitätsfern, was die fordern.«

»Mit Revolutionären wie dir müssen wir uns um die Zukunft wahrlich keine Sorgen machen«, sage ich und glaube, jetzt ist er doch unsicher, wie das gemeint war.

Drei versmalltalkte Stunden später, in denen mein Vorsatz der Abstinenz mit vier Bieren grölend meine Kehle hinuntergezogen ist, sehe ich das Känguru mit einer Flasche Rum in der Pfote, die Unheil verheißend wenig Rum enthält. Es hat sich einen aus der sogenannten digitalen Boheme vorgeknöpft.

»Inzwischen bin ich überzeugter Kapitalist«, sagt der Gesprächspartner.

Ich schließe die Augen und fasse mir an die Schläfen.

»Du bissst höchsssstens ein übersssseugender Schwwachkopf«, lallt das Känguru. »Schöner Kapitalisst bissst du. Einer ohne Kapital!«

Schnell schreite ich ein: »Nirgends kann man dich mit hinnehmen!«, sage ich zischend. »Nie kannst du dich benehmen.«

»Es stellt sich doch die Frage, wer sich hier obszön benimmt!«, lallt das Känguru. »Ich oder die Leute, die ihr Auto im Wohnzimmer parken!«

Ich nehme ihm die Flasche Rum aus den Pfoten.

»Das Problem mit dieser Art 68er ist«, lallt das Känguru viel zu laut, »dass sie damals alle nur das Vorwort vom Kapital gelesen haben! Ich muss pissen«, und es verschwindet Richtung Pool. Ich nehme einen kräftigen Schluck vom Rum.

»Was war denn das?«, fragt mein Agent, der plötzlich hinter mir steht. »Es soll sich doch bitte beherrschen!«

»Tja«, sage ich und setze die Flasche wieder an den Mund. »Wo es recht hat ...«

»Vielleicht geht ihr besser mal nach Hause ... Ich sehe sonst eine Katastrophe am Horizont«, sagt mein Agent und will mir den Rum wegnehmen. »Eine Katastrophe. Und ich muss es dann wieder geradebiegen.«

»Es ist doch noch gar nichts passiert«, sage ich. Da höre ich einen Motor aufheulen.

»Kapitalismus, Schweinesystem, Vietcong!«, ruft das Känguru. »Come on, Thelma!« Es hat das Porsche-Cabrio kurzgeschlossen. Meine Augen glänzen.

»Ach, weißt du ...«, sage ich zu meinem Agenten. »Ich glaube, die Idee hätte eh nicht über neunzig Minuten Film getragen ...« Ich mache den Rum alle, werfe die Flasche hinter mich und springe zum Känguru ins Auto. Immer enger umzingeln uns die verärgerten Partygäste.

»Und jetzt?«, frage ich und suche nach der Fernbedienung für den Aufzug.

»Let's not get caught«, ruft das Känguru – und gibt Gas.

»Nicht!«, schreie ich. »Wir sind im fünften Stock!« Es kracht, es klirrt, es blubbert. Patschnass klettern wir aus dem Pool und beobachten, wie der Porsche zu Boden sinkt. »Na, wenn das nicht Kunst ist«, sagt das Känguru und rülpst. »Ich nenne es ›Porsche im Pool 2008 – Versuch 1‹.«

»Sie haben es gehört, meine Damen und Herren!«, ruft mein Agent den Gästen zu, die sich nun vor der zertrümmerten Glasfassade versammeln. »Porsche im Pool 2008 – Versuch 1! Ich nehme jetzt Ihre Gebote entgegen. Ich denke, wir fangen an bei 10 000 Euro. Höre ich 10 000 Euro?«

»Hier!«, ruft der junge Kunstfanatiker.

»15 000, höre ich 15 000?«

»Hier! Ich!«, meldet sich unser Gastgeber.

»Ein tolles Werk«, sagt er, »und so sozialkritisch.«

»20 000!«, ruft mein Agent. »Wer bietet 20 000?«

»In der bayerischen Landesvertretung ist eine Franz-Josef-Strauß-Ausstellung«, sagt das Känguru. »Hamse groß in der Zeitung drüber berichtet. Kommste mit?«

»Klar«, sage ich. »Ich lass mir keine Franz-Josef-Strauß-Ausstellung entgehen. Bin großer Fan. Schon von Kindesbeinen an.«

»Aber jetzt mal ehrlich«, sagt das Känguru. »Was weißt du über den Mann?«

»Außer dass er irgendwie doof war?«, frage ich.

»Ja.«

»Äh. Also er war, glaub ich, Bayer. Und er hat die CSU erfunden, oder so.«

»Aber warum war er doof?«

»Reicht das nich?«, frag ich.

»Was?«, fragt das Känguru.

»Na, die CSU erfinden. Reicht doch.«

»Für was?«

Ich seufze.

»Für doof sein.«

»Ach so.«

»So wie du.«

»Ey!«

»Ach. Perlen vors Känguru«, seufze ich.

»Wenn's blöd ist, können wir ja ein bisschen pöbeln, bis

wir rausgeschmissen werden«, sagt das Känguru. »Ich würde gerne damit prahlen können, Hausverbot in der bayerischen Botschaft zu haben. Und außerdem is das bestimmt turbowitzig, was die CSU so über Franz Josef Strauß zu berichten weiß.«

»Wir danken dem großen König, dass er die Sonne erfunden hat, sonst wäre es immer so dunkel und kalt«, sage ich. »Da stehen die Preußen bestimmt Schlange ...«

Der Andrang vor der Landesvertretung ist dann aber doch überschaubar. Er besteht aus einem komischen Typ mit Hut und einem Känguru, die feststellen müssen, dass diese Ausstellung gar nicht für die Öffentlichkeit, sondern nur für die Presse inszeniert ist.

»Wir müssen draußen bleiben«, sage ich und deute auf das gleichlautende Schild mit dem angeleinten Hund.

»Ich will da rein«, sagt das Känguru und hüpft die Straße hoch. Zwei Türen weiter verramscht die Komische Oper ihren Kostümfundus. Das Känguru hüpft hinein. Ein paar Minuten später kommt es in Lederhosen wieder heraus und reicht mir einen blauweiß karierten Frack. Zurück zur Botschaft.

Ding Dong. Krk ...

»Moin, Moin«, beginnt das Känguru. Ich halte ihm schnell den Mund zu.

»Jo servus«, sog i. »Mir sans. Weng Termin mim Herrn Dings. Wie hoisst er noch ma? Verdammter Sauproiß ...«

Der Türsummer brummt. Auf dem Weg zum Herrn Dings durchschreiten wir die Franz-Josef-Strauß-Ausstellung. Sie beginnt mit einem großen Transparent, auf dem steht:

»›Ein Volk, das diese wirtschaftlichen Leistungen vollbracht hat, hat ein Recht darauf, von Auschwitz nichts mehr hören zu wollen.‹ – Franz Josef Strauß, 13. September 1969.«

»Des reicht mir eigentlich schon«, sage ich.

Das Känguru schreitet aber weiter zur Tafel über Kindheit und NSDStB-Tage.

»Kuck mal hier«, sage ich, »seine Pläne für die atomare Bewaffnung der Bundeswehr. Großes Kino!«

Ich laufe weiter.

»Oder hier: Wie sie damals den *Spiegel* gestürmt haben, weil der was Kritisches geschrieben hat«, sage ich. »Klasse. So was ist ja heute zum Glück nicht mehr nötig. Zumindest nicht beim *Spiegel*.«

Die nächste Glasvitrine ist komplett leer. Auf dem Schild daneben steht: Diese Vitrine steht stellvertretend für die umfangreichen Dossiers des DDR-Geheimdienstes über FJS, die das bayerische Landesamt für Verfassungsschutz unmittelbar nach dem Zusammenbruch der DDR erwarb und vernichtete, um das Andenken unseres ehemaligen Landesvaters zu schützen.

Das Känguru steht seit längerem vor einem Bild des Münchner Franz-Josef-Strauß-Flughafens.

»Es ist doch bezeichnend, was für Leute einem in diesem Land als Helden untergeschoben werden«, sagt es schließlich. »Was kommt als Nächstes? Das Jürgen-Möllemann-Mahnmal? Das Hans-Filbinger-Institut für Rechtswissenschaften? Die Axel-Springer-Gedächtniskapelle?«

»Jetzt hör doch mal auf zu meckern!«, sage ich. »Ich finde, ein Volk, das diese fußballerischen Leistungen vollbracht hat, hat ein Recht darauf ...«

»Hallo. Wie kann ich Ihnen helfen?«, begrüßt uns plötzlich ein netter Mann in einem auffallend schlechtsitzenden Anzug. »Ich bin Herr Dings.«

»Was genau müsste ein hübsches Känguru wie ich denn tun, um hier Hausverbot zu bekommen?«, fragt das Känguru.

IPANEMA

Wir liegen bei fast dreißig Grad am Meer, und die Sonne brutzelt uns kross. Das Känguru hat zwei Wochen Urlaub springen lassen, da es mit Klingeltönen ein Vermögen gemacht hat. Ich lasse Sand durch meine Finger rieseln und summe: »Dum Dum Dum, Dum Dum Dum, Dum Dum Dum. When she walks it's like a Samba that swings so cool and sways so gently ...«

»Sag mal, der Vietnamkrieg war doch von '64 bis '75?«, frage ich einer spontanen Eingebung folgend.

»Ja«, sagt das Känguru, welches mit einem Sombrero auf dem Kopf in einer Hängematte liegt und an einem Cocktail nippt. »Die heiße Phase jedenfalls.«

»Ziemlich genau 33 Jahre her?«, sage ich. »Oder?«

»Ja«, sagt das Känguru. »Braucht man keinen Taschenrechner für.«

»Ich hab bei Wikipedia gelesen, dass Kängurus so circa fünfzehn Jahre alt werden«, sage ich.

»Was willsten damit sagen?«, fragt das Känguru und richtet sich auf.

»Nix«, sage ich. »Ich mein ja bloß.«

»Du meinst ja bloß!«, schnaubt das Känguru. »Was willste denn damit andeuten?«

»Nix. Nix. Vergiss es«, sage ich.

»Wenn ich eins nicht leiden kann, dann Klugscheißer!«, redet sich das Känguru in Rage. »So Leute, die ham einmal in ihrem Leben ein Buch angefasst, einmal ham sie ins Internet gekuckt, und schon halten sie sich für superschlau!«

»Nee, ist mir ja nur aufgefallen und …«, versuche ich einzuwenden, aber das Känguru ist nicht mehr zu stoppen.

»Willst du hier Jahrzehnte antifaschistischen, antiimperialistischen Kampfes in den Schmutz ziehen?«

»Nein. 'tschuldige«, sage ich kleinlaut.

»Schon mein Großvater hat im spanischen Bürgerkrieg gegen Franco gekämpft!«, ruft das Känguru. »Willst du dich auch über ihn lustig machen?«

»Nein, ich will mich ja gar nicht …«

»Mann! Echt! Jetzt musst du uns hier den Urlaub versauen! Das kotzt mich an!«, schreit das Känguru.

»Beruhig dich doch!«, sage ich. »Ich frug ja nur.«

»Frug? Willst du mich verarschen? Du, ich sag dir: Statistisch gesehen, trennen sich die meisten Paare im Urlaub. Das sagt die Statistik! Das kannste ja mal bei Wikipedia nachkucken!«

»Wir sind doch gar kein Paar«, sage ich.

»Was?«, ruft das Känguru. »Natürlich sind wir ein Paar, Mann! Wie Dick und Doof oder wie wie wie Stan & Olli oder oder oder …«

»Oder wie Laurel und Hardy«, sage ich.

»Genau«, sagt das Känguru. Ich hebe meinen Kopf leicht an und blicke an meinem Liegestuhl runter.

»Ich bin aber nicht dick«, sage ich.

»Nee! Doof biste!«, ruft das Känguru »Doof, doof, doof, dass du uns hier den Urlaub versauen musst!«

»Bist selber doof!«, sage ich.

»Ich hab die Schnauze voll!«, sagt das Känguru und springt aus der Hängematte. »Ich geh jetzt Jetski fahren. Kommste mit?«

»Haben eigentlich alle Kängurus Beutel?«, frage ich.

»Bursche!«, ruft das Känguru drohend.

»Schon gut, schon gut«, sage ich. »Ich komm ja. Aber ich will meinen eigenen Jet.«

GENESIS-
LAND

»Und das Herz des Parkes wird eine in Originalgröße nachgebaute Arche Noah sein«, sagt der Mann vor der Leinwand und klickt sich weiter durch seine Powerpoint-Präsentation.

»Was sind das für Leute?«, frage ich das Känguru flüsternd.

»Das sind Kreationisten, Donnie«, flüstert das Känguru. »Die glauben, der Mensch stammt nicht vom Affen ab. Sondern von Gott.«

»Hä?«, frage ich. »Von wem?«

»Die glauben an die Bibel. Wort für Wort.«

»Und in der Arche Noah findet sich viel Platz für Kongress- und Seminarräume«, sagt der Präsentator.

»Und was wollen die?«, frage ich.

»Die wollen einen religiösen Eventpark bauen«, flüstert das Känguru.

»Genesis-Land«, sagt der Mann auf der Bühne. »Wir möchten die biblische Geschichte in einer modernen und erlebnisreichen Art vermitteln. Wir befinden uns hier zum Beispiel im Pavillon Feuer, der erste Pavillon, den wir fertigstellen konnten. Hier erwartet den zukünftigen Besucher ein multimediales Endzeiterlebnis. Ferner planen wir die Sintflut als Wildwasserbahn, den Turm zu Babel und vieles mehr.«

»Und was machen wir hier?«, frage ich.

»Die Leute, die hier im Saal versammelt sind, sollen als Investoren gewonnen werden«, sagt das Känguru.

»Genesis-Land«, wiederholt der Mann. »Der Themenpark soll nach kaufmännischen Grundsätzen geführt werden und mittelfristig eine Rendite abwerfen.«

»Ja, aber was machen wir hier?«, frage ich.

»Ich dachte, das könnte lustig werden«, sagt das Känguru.

»Dafür sind wir extra in die Schweiz gefahren?«, frage ich. »Das ist der große Spaß, den du mir versprochen hast?«

Das Känguru zuckt mit den Schultern.

»Nun können Sie noch Fragen stellen, wenn Sie möchten«, sagt der Präsentator. Das Känguru meldet sich.

»Ja, bitte? Das Känguru da vorne.«

»Sie sprachen vorher von den als Jesus verkleideten Darstellern, die im Park herumlaufen werden.«

»Ja?«

»Werden die auch die linke Wange hinhalten, wenn man ihnen auf die rechte schlägt?«, fragt das Känguru.

»Äh … ist das ein Scherz?«

»Nein!«, ruft das Känguru empört. »Das steht so in der Bibel.«

Zustimmendes Gemurmel.

»Dann werden wir das so in den Arbeitsvertrag der Darsteller schreiben. Hat sonst noch jemand Fragen?«

Das Känguru meldet sich.

»Ja?«

»Kann man sich am Kiosk auch echte Holzkreuze ausleihen, um die Passion Christi noch intensiver nachzuempfinden als in Mel Gibsons Film?«

»Tja, ich weiß nicht …«

Empörtes Gemurmel.

Das Känguru stupst mich fröhlich an: »Mach du auch mal.«

»Sie wollen den Park Genesis-Land nennen«, sage ich. »Haben Sie denn da schon mit Phil Collins über die Namensrechte gesprochen?«

»Vielleicht könnte Phil Collins bei der Eröffnung sogar ›Another day in paradise‹ spielen«, sagt das Känguru.

»Ich werde mir diese Vorschläge notieren«, sagt der Mann.

»Hier auf dem Handout steht: Altstadt von Jerusalem – Restaurants, Shops, Cafés … Ich nehme an, das sind Platzhalter für McDonald's, H&M, Starbucks«, sage ich. »Aber heißt es nicht in der Bibel – Ikea 0-8-15, wenn ich mich recht entsinne: ›Eher hüpft ein Känguru durch ein Nadelöhr, als dass Ronald McDonald in den Himmel kommt‹?«

»Teilt sich das kleine Rote Meer, wenn die Besucher hindurch wollen?«, fragt das Känguru.

»Oder kann man dort wenigstens über das Wasser wandeln wie, äh … wie Chow Yun Fat in ›Crouching Tiger, Hidden Dragon‹?«, frage ich.

Plötzlich beginnt der Boden zu beben. Gleißendes Licht blendet mich, und eine tiefe, donnernde Stimme spricht: »Ihr habt meinen Namen missbraucht, ihr habt euch über mich lustig gemacht.«

»Auweia«, denke ich. Um mich herum haben sich alle auf die Knie fallen lassen. Das Känguru hat sich schon aus dem Staub gemacht.

»Ihr habt gegen meine Gebote verstoßen«, donnert die Stimme.

»'tschuldigung«, sage ich leise zu den Knienden, während ich mich vorsichtig nach draußen schleiche.

»Halt!«, donnert die Stimme. Ich bleibe stehen. »Lasst ihn nicht entkommen.«

Die Versammlung erhebt sich.

»Steinigt ihn holter polter aua polter. Hmchm.«

Gott räuspert sich.

»Halt. Ich hab's mir anders überlegt«, sagt er. »Auf die Knie mit euch.«

Seine Stimme kommt mir auf einmal …

»Marc-Uwe!«

… sehr bekannt vor. Ich schüttle seufzend den Kopf.

»Marc-Uwe!«, donnert die Stimme noch einmal. Ich sage nichts.

»Marc-Uwe! Antworte mir!«

»Ja?«, frage ich leicht genervt.

»Du sollst nicht gesteinigt werden. Aber ich möchte, dass du jetzt auf einem Bein tanzt und die Internationale singst.«

Aus Opportunismus & Repression

Kapitel 22: Kreazynismus

Mit »Intelligent Design« wird in der pseudowissenschaftlichen Theorie der Neokreationisten ein übernatürlicher Eingriff in den Ursprung des Lebens bezeichnet. Es wird argumentiert, dass sich, ob der Komplexität der Schöpfung, eine gestaltende Hand dahinter verbergen müsse. Kritiker allerdings behaupten, dass man, selbst wenn man den Hokuspokus vom göttlichen Modelleisenbahnbauer schluckt, ob dieser Schöpfung doch höchstens von einem »Stupid Design« sprechen könne.

VERRÄTE-
RISCHES
CELLOPHAN

Das Känguru durchstöbert mein Bücherregal. Plötzlich zieht es ein sehr dickes, originalverpacktes Buch mit den Gesammelten Werken von Nietzsche heraus.

»Sie trüben alle ihr Gewässer, dass es tief scheine«, sagt es.

»Was?«

»›Also sprach Zarathustra‹. Von den Dichtern. Nicht gelesen, was?«

»Äh … Nicht komplett.«

Das Känguru hält mir den originalverpackten Sammelband vor die Nase.

»Wenn du gebildet wirken willst, solltest du die Bücher zumindest vom Cellophan befreien.«

»Habe das Buch gerade erst gekauft«, sage ich.

Das Känguru fährt mit der Pfote über die Oberseite des Buches.

»Dafür ist es aber ganz schön verstaubt«, sagt es.

»Ach, du weißt ja, wie das ist«, sage ich. »Es verstaubt immer alles so schnell. Kaum steht so ein Buch mal zwei, drei Wochen im Schrank …«

»Eben sagtest du noch, du hättest es gerade erst gekauft.«

»Gerade – drei, vier Wochen. Ist doch dasselbe«, sage ich.

Das Känguru dreht das Buch um.

»Der Preis ist in D-Mark ausgezeichnet.«[9]

»Wird gerade ›Derrick‹ wiederholt im ZDF?«, frage ich.

»Was soll denn dieser Detektiv-Blödsinn?«

»Zehn D-Mark«, sagt das Känguru. »Hier steht's.«

»Ich habe es vor fünf, sechs Wochen in einem Antiquariat gekauft. Deshalb ist es wohl auch so staubig.« Zufrieden mit meiner Erklärung nicke ich. »Da stand halt noch der alte Preis drauf.«

»Ein neues, originalverpacktes Buch in einem Antiquariat?«, fragt das Känguru. »Du verläufst dich in deinem Lügenlabyrinth, mein Freund.«

»Eine Buchhandlung Schrägstrich Antiquariat«, sage ich. »Neue und alte Bücher.«

»Welche Buchhandlung Schrägstrich Antiquariat denn?«, fragt das Känguru.

»Weiß nicht mehr. Irgendwo auf Tour.«

»Auf dem Preis steht aber: *Antiquariat Kreuzberg* am Mehringdamm«, lügt das Känguru.

»Das kann nicht sein!«, entfährt es mir. »Als ich das Buch gekauft habe, habe ich noch gar nicht ...«

»Noch gar nicht was?«, fragt das Känguru.

»Noch gar nicht, äh ...«

»Noch gar nicht in Kreuzberg gewohnt?«, fragt das Känguru.

»... noch gar nicht gewusst, dass es hier auch ein Antiquariat gibt.«

Das Känguru zieht ruppig das mächtig dicke Lehrbuch »Stoische Philosophie« aus dem Schrank.

---

9 Für Leser aus der Zukunft:
  a) Falls noch Kapitalismus: D-Mark war die Währung nach der Reichsmark (bzw. der Mark der DDR) und vor dem Euro, welcher wieder eine der Währungen war vor der, die ihr jetzt habt.
  b) Falls nicht mehr Kapitalismus: Egal. (Anm. d. Kängurus)

»Ey! Vorsichtig! Ohne dieses Buch würden wir schon lange nicht mehr zusammenwohnen!«

Das Känguru schlägt es auf und hält mir die erste Seite hin. Da prangt ein Stempel: »*Antiquariat Kreuzberg* am Mehringdamm«.

»Das habe ich erst gestern gekauft«, sage ich. »Erst gestern habe ich nämlich entdeckt, dass es hier auch ein Antiquariat gibt.«

Das Känguru blättert die über und über mit Kugelschreibernotizen bekritzelten Seiten durch.

»Willst du etwa behaupten, du hast seit gestern all diese Notizen in dieses Buch geschrieben?«

»Die Notizen da waren schon drin«, sage ich.

Traurig schüttelt das Känguru den Kopf. Es greift in seinen Beutel.

»Hier habe ich die Notiz, die du mir heute Morgen geschrieben hast.«

»Dass du Milch kaufen sollst?«, frage ich.

»Ja. Jetzt vergleich mal das Schriftbild. Selbst ein Laie erkennt die Parallelen«, sagt das Känguru. »Hier. Das kleine N ohne Bogen. Der 45-Grad-Winkel beim K.«

»Ich habe den Faden verloren«, sage ich. »Was noch mal versuchst du zu beweisen?«

»Ich habe hiermit bewiesen, dass du sehr wohl seit langem weißt, dass es am Mehringdamm ein Antiquariat gibt«, sagt das Känguru. »Folglich hast du gerade gelogen, als du deinen spontanen Ausruf vervollständigen musstest und was du wirklich sagen wolltest, war, was ich dir unterstellt habe, nämlich, dass du noch gar nicht in Kreuzberg gewohnt hast, als du dir das Nietzsche-Buch gekauft hast und daraus wiederum folgt, dass es Jahre her ist, seit …«

»Okay!«, rufe ich. »Ich habe das Nietzsche-Buch vor zig

Jahren gekauft. Es war billig, es machte was her, ich wollte es in mein Bücherregal stellen. Ich habe es nicht gelesen, und ich hatte auch nie vor, es zu lesen, okay?«

»Keine weiteren Fragen«, sagt das Känguru.

»Hast du Milch gekauft?«, frage ich.

»Sollte ich das?«

IM REGEN

»Bäh. Was für ein Pisswetter!«, sage ich.

»Das hast du schon mal gesagt«, sagt das Känguru.

Es hüpft mit dem Regenschirm neben mir her. Jedes Mal, wenn Tier und Schirm einen Satz nach vorne machen, werde ich wieder nass.

»Ich könnte jetzt so schön zu Hause sitzen und aus dem Fenster kucken«, sage ich.

»Nichts da«, sagt das Känguru. »Die Demonstration wartet nicht!«

»Hättste für die Veranstaltung nicht wenigstens einen Tag mit besserem Wetter wählen können?«

»So ein Unsinn«, sagt das Känguru. »Ich habe natürlich extra einen Tag gewählt, bei dem mir der Wetterdienst schlechtes Wetter garantiert hat.«

Das Känguru hat beim zuständigen Amt eine Großdemonstration gegen »Staat, Kapital und das schlechte Wetter« angemeldet. Wir biegen um die nächste Ecke zum Versammlungsplatz. Eine Hundertschaft Polizisten steht im Regen und sichert die umliegenden Banken, aber …

»Es ist keiner gekommen«, sage ich betrübt.

Ich klopfe dem Känguru aufmunternd auf die Schulter.

»Das ist nur wegen dem Wetter«, sage ich.

Jetzt ist es bestimmt wieder so furchtbar enttäuscht.

»Scheißwetter!«, rufe ich laut und recke die Faust. »Nieder mit dem Scheißwetter!«

Das Känguru jedoch ist ungebrochen gut gelaunt und hüpft auf das Café an der Ecke zu. Verdutzt halte ich inne.

»Komm schon!«, ruft das Känguru. »Wir trinken einen Kakao und kucken zu, wie die Polizei nass wird. Ich hab den Tisch direkt am Fenster reserviert.«

DER NEUE NACHBAR

Eins

Das Känguru sitzt in seinem Zimmer, streicht sich furchtbar wichtige Stellen in dicken dunkelblauen Büchern an und kritzelt in seinem unveröffentlichten Hauptwerk herum. Ich reiße die Tür auf, stolpere durchs Zimmer, kratze an der Tapete, röchle, drehe mich im Kreis, breche auf dem Boden zusammen, zucke spastisch und bleibe dann regungslos liegen.

»Ist dir langweilig?«, fragt das Känguru.

»Jahaaa«, stöhne ich. »Soooooooooo langweilig.«

»Dann lass uns was machen«, sagt das Känguru.

»Wahas?«, frage ich, ohne vom Boden aufzustehen.

»Wir könnten ein Detektivbüro aufmachen«, sagt das Känguru.

»Ein Detektivbüro?«, frage ich verwirrt und setze mich auf.

»Ja«, sagt das Känguru.

»Das ist ja mal 'ne völlig beknackte Idee.«

»Bist du dabei?«, fragt das Känguru.

»Okay«, sage ich. »Aber nur wenn wir es ›Kling & Co. – Detektivbüro‹ nennen.«

»Das ist ja wohl ein total bescheuerter Name! Damit werden wir niemals Erfolg haben. Du hast ja wohl keine Ahnung von Marketing! Wir brauchen was Griffiges, was Eingängiges, was, wo die Leute sofort Vertrauen fassen.«

»Känguru & Co. – Detektivbüro?«, frage ich und ziehe eine Augenbraue hoch.

»Ja, genau!«, sagt das Känguru. »Das gefällt mir.«

»Das dachte ich mir.«

»Jetzt brauchen wir noch einen Slogan.«

»Wir lösen alle Fälle – diskret und auf die Schnelle«, schlage ich vor.

»Hm«, sagt das Känguru.

»Die Frau geht fremd, der Bruder tot – wir helfen dir in jeder Not.«

»Hm. Solche Fälle wollte ich eigentlich nicht bearbeiten. Ich denke mehr an ein Detektivbüro für Kapitalverbrechen.«

»Mord, Totschlag, Vergewaltigung?«, frage ich.

»Auch«, sagt das Känguru. »Aber alle Verbrechen von Kapitalisten. Wie wär's mit: ›Shareholder, Fondsmanager oder Vorstandssprecher – Nehmt euch in Acht, Kapitalverbrecher!‹«

»Na ja«, sage ich. »Ich finde besser: ›Hast du Probleme oder Fragen oder so, komm doch einfach zu Känguru & Co.‹«

»Na, wir vertagen das mal«, sagt das Känguru. »Das Wichtigste ist jetzt erst mal ein Schild mit ›Känguru & Co. – Detektivbüro‹ für die Tür und eine Kleinanzeige im Internet.«

Also setzen wir eine Kleinanzeige ins Internet, stellen danach alle Möbel um, lassen beim Schlüsselmann ein Messingschild gravieren, welches das Känguru etwas schief an die Tür nagelt, und sitzen nun in meinem Schlafzimmer/Detektivbüro und warten auf spannende Missionen.

»Es läuft eher schleppend an«, sage ich nach ein paar Stunden.

»Jup«, sagt das Känguru, »was wir bräuchten ist ein Gegenspieler. Einen Antagonisten.«

Es zieht sich seinen breitkrempigen Hut noch tiefer über

die Augen und pafft an einer dicken Zigarre. Mir ist schon ganz schlecht von dem Gestank. Ich huste und öffne das Fenster. Ein kleiner Lastwagen ist vorgefahren und parkt in zweiter Reihe.

»Hab gehört, dass deine alte Wohnung neu vermietet wird«, sage ich. »Wir kriegen einen neuen Nachbarn.«

Neugierig kommt das Känguru zum Fenster.

»Meinste, das isser?«, fragt es.

»Sieht so aus.«

Die Tür des Transporters öffnet sich, unser zukünftiger Nachbar hüpft heraus und zieht als Erstes einen großen Kühlschrank auf seine Sackkarre.

»Was steht da auf dem Transporter?«, fragt das Känguru und kneift die Augen zusammen.

»›Cofrost – Tiefkühlkost‹, glaub ich.«

»Sieht irgendwie verdächtig aus, der Neue«, sagt das Känguru und kaut auf seiner Zigarre herum.

»Ja. Irgendwie seltsam«, sage ich. Es ist:

TROMMELWIRBEL
FANFARE
CLOSE-UP: Ein Pinguin.

Zwei

Ich komme gerade von einer längeren Tour nach Hause und quäle mich mit dem ganzen Gepäck durch den Flur, als mich die Nachbarin von unten aufhält.

»Ham Se den Neuen jesehen?«, fragt sie.

Ich nicke.

»Na, der ist ja wohl och nich von hier, wa?«

Ich schüttle den Kopf.

»Janz schwarz ist der«, sagt sie.

»Nur von hinten«, sage ich. »Vorne ist er so weiß wie Eva braun.«

»Der klaut mir bestimmt jeden Morjen die Zeitung. Diese verdammten Türken!«

»Ich glaube, er kommt aus der Antarkt…«

»Ja, ja. Antarkta Anta Ankara«, sagt sie. »Da kommen die alle her. Aus'm Süden.«

»Ja«, sage ich. »Der kommt ganz weit aus dem Süden.«

Ich lasse sie stehen und schleppe mich weiter die Treppe hoch. Ich schnuppere. Unter unserem Türschlitz dringt Qualm hervor.

Was jetzt? Erschöpft stelle ich die Sachen auf den Boden und öffne vorsichtig die Tür.

Im Wohnzimmer sitzt das Känguru. Es hat eine Schweißermaske übers Gesicht gezogen und hantiert mit dem dazugehörigen Gerät.

Sprachlos betrete ich das Zimmer. Das Känguru bemerkt mich und schiebt die Maske nach oben.

»Hallo!«, sagt es fröhlich.

»Was machst du da?«, frage ich.

»Gadgets!«, sagt das Känguru. »Alle Detektive brauchen Gadgets.«

»Soso«, sage ich und will das Zimmer wieder verlassen.

»Das hier wird eine Kamera, mit der man auch telefonieren kann«, sagt das Känguru. Ich halte inne, drehe mich zum Känguru, öffne den Mund, schließe ihn dann wieder und hole, ohne etwas dazu zu sagen, mein Gepäck von draußen rein.

»Wie ist die Auftragslage?«, frage ich.

»Geht so«, sagt das Känguru und schiebt die Maske wieder nach oben.

»Also nüscht?«

»Noch nüscht!«, sagt das Känguru, zuversichtlich das »noch« betonend.

»Dann gebe ich dir jetzt einen Auftrag«, sage ich. »Finde heraus, wer jeden Morgen alle Zeitungen aus unseren Briefkästen klaut.«

»Hm. Hm«, sagt das Känguru, pfeffert die Metallmaske in eine Ecke, legt die Füße auf den Schreibtisch und kippelt gefährlich mit dem Stuhl nach hinten. »Da müssen wir zuerst mal über Geld reden. Fünfhundert Euro Honorar plus Spesen.«

»Fünf Euro«, sage ich. »Ohne Spesen.«

»Einverstanden«, sagt das Känguru und schnellt mit dem Stuhl nach vorne. Wir schlagen ein. Dann zieht das Känguru einen Stapel Zeitungen aus seinem Beutel: »Tada!«

»Dacht ich's mir doch«, sage ich.

»Ich gehe nur gegen die gezielte Desinformation der Bevölkerung vor«, sagt das Känguru. »Fall gelöst. Fünf Euro bitte.«

»Ich nehme an, der Fall mit meiner verschwundenen Sonnenbrille lässt sich ebenso schnell lösen«, sage ich.

»Tada«, sagt das Känguru und zaubert eine Sonnenbrille aus seinem Beutel. »Fall gelöst. Zehn Euro bitte.«

Ich nehme mir Zeitung und Sonnenbrille und verlasse das Zimmer.

»Ich bin auf dem Balkon, falls ein richtiger Fall reinkommt«, sage ich.

»He, du musst noch bezahlen, Freundchen!«, ruft mir das Känguru hinterher. »Ey! Rück die Kohle raus! Pass bloß auf! Ich weiß, wo du wohnst!«

Drei

»Ein Detektivbüro?«, fragt mein neuer Psychiater später am Tag und zieht die Augenbrauen nach oben. »Einen Moment bitte.«

Er drückt auf den Knopf seiner Nebensprechanlage. »Lois, kommen Sie bitte herein.«

Gleich darauf erscheint eine große blonde Frau mit Dauerwelle in der Tür.

»Hören Sie sich das an!«, sagt der Psychiater. »Er hat mit seinem Känguru ein Detektivbüro aufgemacht. Es ist gar zu köstlich. Bitte erzählen Sie's noch mal.«

»Meinen Sie, ich bürde mir damit zu viel Stress auf?«, frage ich. »Manchmal ist mir ja schon das Schreiben und Auftreten zu viel. Ich weiß ja nicht, wie viel Zeit man in so ein Detektivbüro stecken muss.«

»I wo«, sagt mein Psychiater. »Machen Sie sich keine Sorgen. Ich arbeite selbst nebenbei für die CIA. Überhaupt kein Problem. Hühü. Die richten sich da nach mir. Hihihi. Wenn ich gerade Zeit und Lust habe, gehe ich einfach vorbei. Höhöhö.«

Der Psychiater lacht prustend und schlägt mit seiner Faust auf den Tisch.

Seine Sekretärin steht immer noch völlig ernst in der Tür und verzieht keine Miene. Der Doktor fasst und räuspert sich.

»Tja.« Ein weiteres Räuspern. »Danke. Das wäre dann alles, Mrs Moneypenny!«, sagt er, und der nächste Lachanfall schüttelt ihn. Augenrollend verlässt seine Sekretärin das Büro.

»Eine zuverlässige Kraft«, sagt er. »Leider völlig humorlos.«

Er blickt mich an, gluckst und prustet dann: »Diese Sitzung wird sich in fünf Sekunden selbst zerstören.«

Dabei schlägt er sich auf die Schenkel und verliert völlig die Kontrolle.

»Ein Detektivbüro. Ahühühaha.«

Ich stehe auf und gehe.

»Nächstes Mal bringe ich das Känguru mit«, murmle ich.

VOM LICHTER-ANBRINGEN

Wir sitzen beim Frühstück. Es ist kurz nach neun.

»Wo warste denn die letzten Tage?«, fragt das Känguru.

»Ich war auf so 'nem Brecht-Festival eingeladen, weil weißte, ich hab ja dieses eine Gedicht geschrieben ...«

»Nich...«, sagt das Känguru schwach.

»Ich trag's mal kurz vor«, sage ich.

»Am frühen Morgen ...«, stöhnt das Känguru.

Ich deklamiere:

> *»Vom Lichteranbringen*
>
> Vor kurzem stand ich auf Brechts Gesammelten Werken
>   Um ein Licht an der Decke anzubringen.
> Ich glaube, das hätte dem alten Mann gefallen,
>   dass seine Verse zu etwas Praktischem nütze waren.«

»Und wie kam's an?«

»Oft machen die Leute dann so ein Hohoho-Lachen«, sage ich. »Und dann frage ich mich, ob sie's verstanden haben.«

Das Känguru mixt sich noch einen Malzkakao.

»Aber weißte, was komisch war?«, frage ich.

»Das Brecht-Festival wurde von 'ner Bank gesponsert?«, scherzt das Känguru.

»Ja, das auch. Aber ich wollt eigentlich erzählen, wie ich

nämlich gestern Nachmittag zurück ins 5-Sterne-Hotel gekommen bin. Da hatte nämlich das Zimmermädchen sauber-
gemacht und mein Rage-Against-The-Machine-T-Shirt schön
ordentlich zusammengefaltet aufs gemachte Bett gelegt.«

Das Känguru blickt von seiner Tasse hoch.

»Und ich hab gespürt, irgendwas ist hier irgendwie schräg.
Marc-Uwe, dachte ich, da steckt irgendein tieferer Sinn in
diesem Bild. Ich konnte nur nicht genau in Worte fassen,
welcher.«

»Wie war der Kaviar?«, fragt das Känguru.

»Etwas zu salzig«, sage ich.

Das Känguru schüttelt spöttisch seinen Kängurukopf.

»Hm«, sage ich nachdenklich.

SCHMIDTCHEN

Poch Poch Poch, klopft es an die Tür unseres Detektiv-
büros.

»Immer herein«, sagt das Känguru.

Poch Poch Poch.

»Hier ist die Polizei! Öffnen Sie die Tür!«

»Die Tür ist offen«, sagt das Känguru.

Poch Poch Poch.

»Man muss die Klinke runterdrücken«, sagt das Känguru.
Die Tür öffnet sich, und herein tritt Schmidtchen. Kurzer Typ
mit langem Schnauzer. Sein Blick fällt zuerst auf mich, der
ich wie immer am Fenster stehe und mir die Zeit mit Hinaus-
kucken vertreibe, und dann auf das Känguru, welches wieder
mal am Schreibtisch sitzt, Füße auf dem Tisch, Schlapphut
ins Gesicht gezogen.

»Was gibt's denn, Schmidtchen?«, fragt das Känguru.

»Polizeioberwachtmeister Schmidt heißt das für Sie!«, sagt
Schmidtchen.

»Na, na«, sagt das Känguru. »Kein Grund, sich so zu
echauffieren, Schmidtchen.« Und dann lächelt es. Kaum
etwas verschafft ihm größere Freude, als den armen Schmidtchen mit Fremdwörtern zu bombardieren.

»Ich chauffiere niemanden!«, ruft Schmidtchen. »Ich bin
Oberwachtmeister!«

»Und was wollen Sie?«, fragt das Känguru. »Meine Zeit ist

kostbar. Ich war gerade dabei, mit meinem Kollegen hier einen Diskurs über die Pros und Contras pränataler Anglistik zu führen.«

»Davon hab ich schon gehört!«, sagt Schmidtchen. »Das ist, wenn man ...«

»In medias res, Schmidtchen!«, sagt das Känguru. Schmidtchen kuckt mich an.

»Mitten in die Dinge hinein«, sage ich. »Das heißt, Sie sollen zur Sache kommen.«

»Oh ja«, sagt Schmidtchen. »Also. Es hat gebrannt. Jemand hat in der Nacht die neu eröffnete Axel-Springer-Gedächtniskapelle angezündet.«

»Wie geht's der lieben Frau Gemahlin, Schmidtchen?«, fragt das Känguru. »Der Kollege hier erzählt ja nur Gutes von ihr.«

Schmidtchen kuckt mich erschrocken an.

»War nur ein Witz, Schmidtchen!«, sagt das Känguru. »Nur ein Witz. Ein wenig Pläsier muss man sich ja gönnen, nicht wahr?«

»Wo war ich?«, sagt Schmidtchen und kramt nach seinem Notizblock.

»Jemand hat die Axel-Springer-Gedächtniskapelle angezündet«, sagt das Känguru, »... und da sind Sie zu uns gekommen, weil ...?«

»Aha. Genau. Weil ich – geradheraus – Sie verdächtige!«

»Ich hab die Kapelle nicht angezündet. Aber ich wünschte, ich hätte es.«

»Aha. So, so. Und wieso sollte ich das nun glauben?«

»Nun, Schmidtchen, warum sollte ich denn sagen, dass ich es gerne gemacht hätte, wenn ich es nicht gerne gemacht hätte?«

»Hohoho. Das will ich ja gerne glauben, dass Sie das gern

gemacht hätten, aber warum soll ich glauben, dass Sie es nicht auch tatsächlich gemacht haben?«

»Nun, Schmidtchen, ich würde ja wohl kaum zugeben, dass ich es gerne gemacht hätte, wenn ich es tatsächlich gemacht habe.«

»So. Ja. Hm.«

»Es sei denn natürlich, ich würde denken, dass Sie denken würden, ich hab es nicht gemacht, wenn ich sage, ich hätte es gern gemacht.«

»Also haben Sie es doch gemacht!«

»Nun, Schmidtchen, wenn ich es gemacht hätte, würde ich Sie doch nicht darauf hinweisen, dass ich sagen könnte, dass ich es gerne gemacht hätte, nur damit Sie denken, dass ich es nicht gemacht habe, weil ich ja nicht sagen würde, dass ich es gern gemacht hätte, wenn ich es tatsächlich gemacht hätte.«

»Also haben Sie es nicht getan.«

»Es sei denn natürlich, dass ich Sie darauf hinweise, damit Sie denken, dass ich denke, dass Sie denken, dass ich denke, dass Sie denken, dass ich Sie nicht darauf hinweisen würde, wenn ich es gemacht hätte, damit Sie nicht denken, dass ich denke, dass Sie nicht denken, dass ich es gemacht habe, aber dies alles wiederum hieße, Ihnen eine gewaltige Masse Hirnschmalz zu unterstellen, und wer würde das schon tun, Schmidtchen?«

»Aber wenn Sie es nicht waren, wer war es dann?«

»Nun, Schmidtchen, da ich es nicht war und mein Kollege hier am Fenster es nicht war« – Pause –, »bleiben ja nur noch Sie.«

»Ich?«, ruft Schmidtchen.

»Ja, Sie. Wo waren Sie gestern Nacht?«

»Nun, ich war zu Hause. Mit meiner Frau.«

»So?«, fragt das Känguru. »Zufälligerweise weiß ich aber, dass mein Kollege hier gestern Nacht mit Ihrer Frau zusammen war!«

»Was?«, ruft Schmidtchen.

»War nur ein Witz, Schmidtchen!«, sagt das Känguru.

»War nur ein Witz! Ein kleiner Jux. Ein wenig Pläsier!«

Schmidtchen schüttelt verwirrt den Kopf.

»Mensch, Schmidtchen!«, sagt das Känguru, »Sie sehen ja ganz fertig aus! Am besten Sie gehen mal nach Hause und ruhen sich ein bisschen aus, Sie kleiner Pyromane.«

»Ja, das klingt vernünftig«, murmelt Schmidtchen und verschwindet zur Tür hinaus.

Das Känguru grinst mich an.

»Dein Schlapphut ist ein wenig angesengt«, sage ich.

»Oh«, sagt das Känguru. »Ich äh … ich war grillen.«

BLACK BOX

»Sag mir: Ist es wohl einfacher, einen Wok in einer Spüle oder eine Spüle in einem Wok zu waschen?«, frage ich, als erneut ein Schwall Wasser über die Spüle auf meine Socken kippt.

»Philosophierst du schon wieder?«, fragt das Känguru, welches immer noch am Frühstückstisch sitzt und sich einen kleinen Schluck Milch in seine Tasse voll Malzkakao kippt. Dann spitzt es seine Lippen und bläst Luft hindurch.

»Was machst du da?«, frage ich.

»Ich versuche zu pfeifen«, sagt das Känguru.

»Ich hör nix«, sage ich.

»Ich übe noch.«

Es nippt an seinem Getränk und schüttelt unzufrieden den Kopf.

»Reichst du mir noch ein Päckchen Kakao?«

»Gerne«, sage ich und drücke dem Känguru ein Päckchen in die Pfote.

»Das ist kein Kakao«, sagt es. »Das ist Tütensuppe.«

Verdammt, es hat mich durchschaut.

»Kuck ma!«, ruft es plötzlich und deutet auf die vor ihm liegende Zeitung. »Heute is 'ne Nazidemo. Lass ma hingehen.«

»Eine Nazidemo. Super!«, sage ich. »Ich hab nur leider meine Bomberjacke gerade in der Reinigung.«

»Haha«, sagt das Känguru. »Du weißt schon, was ich meine.«

»Ich fürchte, ja …«, sage ich. »Aber wenn du willst, komme ich gerne mit und stecke Schläge ein. Das Austeilen musst du übernehmen.«

»Kein Problem.«

»Und du musst auch auf mich aufpassen«, sage ich.

»Ist gut«, sagt das Känguru. »Ich pass auf dich auf.«

Wir steigen in die U-Bahn und fahren zum Alexanderplatz. Der Versammlungsort ist aber komplett abgeriegelt. Die Polizei, mein Freund und Helfer.

»Isshomineizza«, sage ich.

»Was?«, fragt das Känguru.

Ich nehme den Bissschutz aus dem Mund und gebe ihn dem Känguru zurück.

»Ich hol mir 'ne Pizza«, sage ich.

»Ich geh hoch zum S-Bahn-Gleis«, sagt das Kanguru. »Vielleicht kann ich ihnen auf die Köpfe spucken.«

Wir trennen uns. Als ich kurz darauf mit meinem Mittagessen die Treppen hochstolpere, ruft das Känguru schon von weitem: »Komm schnell! Schnell! Kuck mal da raus!«

Ich sehe einen großen Haufen Nazis, fast so viele Polizisten …

»Kuck mal das Zelt«, sagt das Känguru und deutet auf ein großes schwarzes, rechteckiges Zelt.

»Da führt die Polizei die Nazis rein und kuckt, ob die Waffen haben«, sage ich.

»Jaha! So geht die Sage!«, sagt das Känguru. »Aber betrachten wir dieses schwarze Zelt, da uns diese Herangehensweise durch Form und Farbe desselben geradezu nahegelegt wird, mal systemtheoretisch als Black Box. Der innere Aufbau und die innere Funktionsweise sind uns unbekannt. Wir verfügen nur über Input/Output-Informationen. Und jetzt hör gut zu: Ich habe gerade mit meinen eigenen Augen gesehen, wie vorne ins Zelt drei Faschos reingeführt wurden, und ein paar Minuten später kamen hinten aus dem Zelt drei Polizisten raus.«

Nach einer wohlgesetzten dramatischen Pause fragt das Känguru: »Zufall?«

»Na ja, also, aber ...«

»Hey! Ich habe nur erzählt, was ich gesehen habe«, sagt das Känguru. »Die Schlussfolgerung hast du selbst gezogen.«

»Welche Schlussfolgerung genau?«

»Na, dass der Verfassungsschutz hier seine inoffiziellen Mitarbeiter requiriert.«

»V-Leute«, sage ich. »Im Westen nennen die Behörden ihre Informanten V-Leute.«

»Wie auch immer«, sagt das Känguru. »Wenn wir jetzt mal in einem weiteren Schritt die rechte Szene als Black Box, oder sagen wir als Brown Box betrachten, deren innerer Aufbau uns unbekannt ist und als Output haben wir nur irgendwelche wenig verlässlichen V-Mann-Informationen ...«

»Hast du gewusst, dass Hitler kurz nach dem Ersten Weltkrieg V-Mann war?«, unterbreche ich das Känguru.

»Ist das ein Scherz?«

»Nein. Das habe ich im *Spiegel* gelesen.«

»Wo sonst.«

»Er wurde von der Nachrichtenabteilung der Bayerischen Reichswehr als Informant angeheuert. Er sollte über kleine radikale Parteien berichten. Ich glaube aber, man darf sich das nicht so nervenzerreißend wie heute vorstellen. V-Mann sein hieß damals, in die einschlägigen Kneipen gehen und sich mit an den Stammtisch setzen.«

»Ach«, sagt das Känguru. »Ich glaube, da hat sich gar nicht so viel geändert.«

»Jedenfalls sollte Hitler auch die Deutsche Arbeiterpartei, den Vorläufer der NSDAP, auskundschaften. Und da hat er sich dann wohl gedacht: ›Den Loser-Haufen übernehm ich.‹«

»Du siehst das ganze V-Mann-Konzept also eher kritisch?«, fragt das Känguru.

»Ich möchte dir mit dem Untertitel von ›Léon – Der Profi‹ antworten«, sage ich. »If you want a job done well hire a professional.«

Das Känguru blickt nachdenklich durch die Scheiben nach unten.

»Wir müssen unbedingt rausfinden, was da passiert«, sagt es. »Siehst du das Gestrüpp da an der Seite vom Zelt? Dadurch musst du dich ranschleichen, ein kleines Loch ins Zelt schneiden und mir dann berichten.«

»Und du?«, frage ich. »Was machst du?«

»Ich steh Schmiere«, sagt das Känguru. »Und wenn einer kommt, dann pfeife ich.«

THEY PAVED
PARADISE ...

»Weißt du, was ich hasse?«, frage ich das Känguru.

»Deinen Computer?«

»Ja«, sage ich.

»Aber weißt du was noch?«

»Wenn man die Wechstaben verbuchselt?«

»Ja sicher, aber ...«

»Lobbyisten?«

»Wer hasst die nicht.«

»Fernsehproduzenten?«

»Klar.«

»Fondsmanager?«

»Ja«, sage ich. »Aber weißt du was noch?«

»Nee. Was noch?«

»Parkhäuser«, sage ich.

»Parkhäuser?«

»Ja«, sage ich, und es schüttelt mich. »Ich hasse Parkhäuser.«

»Hm«, sagt das Känguru. »Kuck an.«

»Als Kind hatte ich mal ein Plastikspielzeugparkhaus«, sage ich.

»Fandste nich gut?«, fragt das Känguru.

»Doch«, sage ich. »Fand ich super.« Dann schreie ich: »ABER ICH WAR EIN KIND! WAS WUSSTE ICH SCHON VOM LEBEN! ICH FAND ALLES SUPER! Die Frage ist doch vielmehr: WER IST DENN SO KRANK UND SCHENKT EINEM KIND EIN PLASTIKSPIELZEUGPARKHAUS!«

»Parkhäuser kannste nicht leiden, wa?«, fragt das Känguru.

»Nee«, sage ich. »Parkhäuser sind so symptomatisch für unsere Epoche.«

»Wie meinsten das?«, fragt das Känguru.

»Weiß nich. Is halt so. Von den Emotionen her, verstehste? Wenn hier Außerirdische landen würden und mich frügen: ›Wie isses denn bei euch so?‹, würde ich ihnen ein Parkhaus zeigen«, sage ich. »Ich hasse Parkhäuser.«

»Jo«, sagt das Känguru.

»Die haben damals das kommunale Kino abgerissen und dafür ein Parkhaus hingebaut«, sage ich.

Das Känguru nickt. »Verstehe.«

»Weißte, was ich noch hasse?«, frage ich.

»Nee«, sagt das Känguru. »Lass es raus.«

»Mikrowellenherde«, sage ich.

»Klar«, sagt das Känguru.

»In Amerika ham sie so 'ne Umfrage gemacht und wollten wissen, was die beste Erfindung aller Zeiten sei … Und weißte, was am häufigsten genannt wurde?«

»Der Mikrowellenherd?«, fragt das Känguru.

»Kannteste die Umfrage schon?«, frage ich etwas überrascht.

»Nee«, sagt das Känguru. »War aber so'n bisschen 'ne Suggestivfrage.«

»Nicht das Rad«, sage ich. »Nicht das Telefon, nicht mal das bekackte Fernsehen.«

»Die Mikrowelle«, sagt das Känguru.

»Genau!«, sage ich. »Ein Gerät, das in Sekundenschnelle jeglichen Geschmack aus jeglicher Speise entfernt. Tolle Erfindung. Wenn die Außerirdischen nach dem Abgasgestank im Parkhaus noch nicht genug hätten, würde ich ihnen 'ne Tütensuppe in 'ner Mikrowelle zubereiten.«

Das Känguru blickt mich unsicher an.

»Und weißt du, was ich noch hasse?«, frage ich. Das Känguru schüttelt den Kopf. »Digitale Bilderrahmen!«, rufe ich. »Zum Abschied würde ich mit einer Digitalkamera ein Bild von mir und den Außerirdischen machen.«

»Und dann würdste ihnen das Bild auf dem Kameradisplay zeigen?«, fragt das Känguru. »Ob sie zufrieden damit sind, wie sie kucken?«

»Ja. Und dann würde ich ihnen das Bild auf einen digitalen Bilderrahmen laden, zusammen mit einem Bild von einem Parkhaus, einem Bild von einer Mikrowelle und einem Bild von einem digitalen Bilderrahmen. Damit wird das Zeiten-Porträt erst komplett. Parkhaus, Mikrowelle, digitaler Bilderrahmen: HÄSSLICH, STINKEND, GESCHMACKSNEUTRAL, KREBSERREGEND, TEUER UND VÖLLIG SINNLOS!«

Das Känguru blickt mich besorgt an.

»Aber weißt du, was ich am meisten von allem hasse?«, frage ich.

»Nee«, sagt das Känguru. »Was?«

»PARKHÄUSER!«, schreie ich. »ICH HASSE PARKHÄU-SER!«

JUST BECAUSE
YOU'RE PARANOID,
DON'T MEAN THEY'RE
NOT AFTER YOU

»Glaubst du, es ist Zufall, dass ›Das Kapital‹ ausgerechnet der 23. Band der Marx-Engels-Werke ist?«, fragt das Känguru.

»Nein«, sage ich. »Das ist bestimmt kein Zufall. Ich glaube, die sind chronologisch und der Art nach geordnet.«

Poch, poch, poch.

»Kommen Sie rein, Schmidtchen!«, sagt das Känguru. Der Polizeioberwachtmeister betritt unser Wohnzimmer.

»Gut, dass Sie kommen, Schmidtchen!«, sagt das Känguru. »Gerade meinte ich zu meinem Kollegen, es sei impertinent, dass man heutzutage vor lauter semipermeablen Xenismen kaum noch einen Satz versteht. Finden Sie nicht auch?«

»Äh, ja. Ja, ja. Aber eigentlich, also, ich bin hier, nun ja … Ich muss noch mal nachfragen wegen dem Brand in der Axel-Springer-Gedächtniskapelle …«

»Gut, dass Sie nachfragen, Schmidtchen!«, sagt das Känguru. »Gut, dass Sie nachfragen. Ich habe mir dazu auch Gedanken gemacht, und ich glaube …«

Es winkt Schmidtchen heran: »Kommen Sie näher.«

Schmidtchen tritt an den Schreibtisch. Das Känguru beugt sich vor und flüstert: »Es handelt sich um eine Verschwörung.«

Dann lässt es sich zurück in den Stuhl fallen und nickt.

»Eine Verschwörung?«, fragt Schmidtchen überrascht.

»Ja, ja«, sagt das Känguru. »Haben Sie schon mal davon gehört, dass die amerikanische Regierung von dem Angriff auf Pearl Harbor wusste, ihn aber zuließ, um in den Krieg eintreten zu können? Oder gehören Sie zu den Zeitgenossen, die immer noch glauben, dass Saddam Hussein hinter den Anschlägen aufs World Trade Center steckt?«

»Sie meinen, dass Springer selbst die Kapelle …?«, fragt Schmidtchen.

»Das haben Sie gesagt«, sagt das Känguru.

»Aber warum?«, fragt Schmidtchen. »Um die Auflage zu steigern?«

»Gut«, sagt das Känguru. »Sehr gut. Sie werden besser. Aber vielleicht ist es doch nicht so einfach. Vielleicht gibt es ja noch einen geheimnisvollen Dritten. Wie beim 11. September. Da war es ja bekanntlich …«, das Känguru stockt, »ähm … die …«

Es kuckt zu mir.

»Nagelschereindustrie«, sage ich.

»Nagelschereindustrie«, sagt das Känguru. »Ist doch sonnenklar, Schmidtchen. Man muss sich nur mal fragen: Wer profitiert denn von der ganzen Sache? Seit den Anschlägen muss man am Security-Check immer seine Nagelschere wegwerfen und sich nach der Landung eine neue kaufen. Ich habe darum auch schon direkt am 12. September einen Brief an den Verband der Nagelscherenhersteller geschrieben und ihnen ihre Täterschaft auf den Kopf zu gesagt.«

»Und?«, fragt Schmidtchen.

»Nun ja«, sagt das Känguru.

»Keine Antwort ist auch eine Antwort …«

»Aber haben Sie jetzt nicht Angst vor denen?«, fragt Schmidtchen.

»Hält sich in Grenzen, Schmidtchen«, sagt das Känguru. »Bisher ist die Nagelschereindustrie den Beweis schuldig geblieben, dass man mit ihren Produkten wirklich töten kann. Es gab nur den Fall, wo einer ins Cockpit stürmte und schrie: ›Ändern Sie sofort den Kurs oder ich maniküre Sie!‹ Höhöhö …«

»Und Sie meinen jetzt also, hinter dem Brand in der Kapelle stecken …«

»Die Exilkubaner!«, sagt das Känguru. »Die Mafia, die Freimaurer, die Hustenbonbonindustrie! Oder vielleicht die Leute, die die Mondlandung im TV-Studio gedreht haben. Was weiß ich! Die Drahtzieher, der cigarette-smoking-man, der dunkle Overlord, die hinterlistigen Hintermänner eben. Der Vatikan!«

»Der Vatikan?«

»Ja wissen Sie denn nicht, dass Papst Johannes Paul I. nach nur dreiunddreißig Tagen im Amt intern beseitigt, das heißt, vergiftet wurde, weil er die korrupten Machenschaften der Vatikan-Bank aufdecken wollte?«

»Wirklich?«, fragt Schmidtchen.

»Und schließlich, Schmidtchen, muss man sich doch auch noch fragen: Welche Rolle spielen dabei die Außerirdischen?«

»Die Außerirdischen?«

»Psst«, sagt das Känguru. »Erzählen Sie's nicht weiter …«

»Und Sie glauben das alles?«, fragt Schmidtchen.

»Ich sag mal so«, sagt das Känguru. »Ich glaube, dass der, der an die wildesten Verschwörungstheorien glaubt, näher an der Wahrheit ist als der, der glaubt, dass alles in Ordnung ist. Haben Sie schon mal nachgerechnet, was 23×23 gibt? 666!«

Schmidtchen denkt.

»Das stimmt doch gar nicht«, flüstere ich.

»Psst«, macht das Känguru. »Ich rechne im Hexadezimalsystem.«

»Aber wo soll ich denn nun suchen, nach den dunklen Hintermännern?«, fragt Schmidtchen.

»Wo? Sie fragen wo, Schmidtchen?«, fragt das Känguru. »Wo fahren zum Beispiel die Betriebsfahrten der BVG hin? Die Züge, auf denen ›Nicht einsteigen‹ steht? Haben Sie sich das schon mal gefragt, Schmidtchen? Wo landen all die Gepäckstücke, die auf Flügen verloren gehen? Die linken Socken. Die Kugelschreiber. Wohin entschwinden die Gesichter alter, fast vergessener Liebschaften? Dort müssen Sie suchen. Ich hoffe, wir konnten Ihnen weiterhelfen, Schmidtchen.«

»Sie sind sich also sicher«, fragt Schmidtchen, »dass es sich um ein Kompott handelt?«

Das Känguru lacht kurz und herzlich auf, dann beherrscht es sich. Mit Rührung blickt es Schmidtchen an. Eine Lachträne kullert seine Wange hinunter. »Ein Kompott«, sagt es kopfschüttelnd. Schließlich räuspert es sich.

»Ja. Vielleicht handelt es sich hier um ein Kompott. Aber Sie müssen bedenken, mein liebes Schmidtchen, dass es sich bei den meisten Verschwörungstheorien einfach um monokausale Erklärungsmuster handelt, die die historische und gesellschaftliche Komplexität auf ein dem Einzelnen, in diesem Falle Ihnen, verständliches Maß herunterbrechen.«

»Aha«, sagt Schmidtchen. »Äh …«

»Oder um mit Slavoj Žižek zu sprechen«, sagt das Känguru, »der Glaube an Verschwörungen ist geradezu paradigmatisch für die Suche nach dem imaginären ›großen Anderen‹, nach dem göttlichen Puppenspieler, den Nietzsche für tot erklärt hat. Verstehen Sie?«

»Ja«, sagt Schmidtchen. »In die Richtung hatte ich auch schon gedacht.«

»Natürlich«, schmeichelt das Känguru. »Sie, ein Mann von Welt … Doch schließlich lassen Sie mich noch anmerken, dass viele Verschwörungen sogar bewusst und mit böser Absicht erfunden wurden, um andere zu verunglimpfen. Denken Sie an die Protokolle der Weisen von Zion. Die hat der Geheimdienst von Zar Nikolaus II. zusammengeschustert. Da steht zum Beispiel, die Juden hätten in den großen Städten Untergrundbahnen gebaut, um diese in die Luft sprengen zu können.«

»Also gibt es in Wahrheit doch keine Verschwörung.«

»Na ja«, sagt das Känguru. »Wer weiß ... Denken Sie an die Bilderberg-Konferenzen. Da treffen sich alljährlich die oberen Einhundert der Welt, und niemand weiß, warum die sich treffen, über was die reden, was die da machen. Glauben Sie, die spielen da Skat, Schmidtchen?«

»Ich weiß es nicht.«

»Finden Sie's raus, Schmidtchen!«, sagt das Känguru und steht auf. »Finden Sie's raus.«

Dabei öffnet es die Tür und schiebt Schmidtchen sanft hinaus. Als er weg ist, wirft es sich von Lachkrämpfen geschüttelt auf den Boden. Es hämmert mit der Faust gegen die Wand und trommelt mit allen Gliedmaßen auf dem Parkett herum. »Ein Kompott. Hahaha. Ein Kompott. Ein Kompott!«

ES IST AN
DER ZEIT

Das Känguru liest einen seltsamen Schmöker auf Slowenisch. Plötzlich legt es das Buch zur Seite.

»Ihr genießt nicht mehr!«, ruft es. »Stattdessen strebt ihr immer nur nach Mehr-Genuss. Ihr wollt immer mehr genießen können, als ihr augenblicklich genießen könntet, und genießt dabei überhaupt nicht mehr. ›Das ist unsere Natur‹, sagt ihr. Interessanterweise ist das aber ganz und gar analog zum ökonomischen Streben nach dem Mehr-Wert, welches den Gebrauchs-Wert völlig irrelevant macht und dies wirft doch die Frage auf, ob diese wilde Jagd nach dem Mehr-Genuss wirklich der Natur des Menschen entspringt oder ob sie nicht vielmehr durch die Übernahme ökonomischer, und damit natürlich gesellschaftlicher, tradierter Paradigmen auf die Vorstellungen vom Genuss, vom individuellen Glück entfesselt wurde? Und wenn dem so ist, ist es dann nicht an der Zeit, damit zu brechen?«

Das Känguru steht auf und wird lauter. »Ja, es ist an der Zeit, das grüne Gras zu genießen, anstatt wie dumme Esel der Karotte am Strick hinterherzuhecheln! Es ist an der Zeit, das Aufwand-Nutzen-Denken, dieses ökonomische Kalkül, welches euch bis in eure privatesten Gedanken beherrscht, zu durchbrechen, um für das einzustehen, was ihr für richtig erachtet – egal, wie hoch der Aufwand und wie klein der Nutzen!«

»Was?«, frage ich und blicke zum Känguru auf. »'tschuldige. Ich hab gerade meinen Gedanken nachgehangen.«

Ich ziehe meine Lippe hoch und zeige dem Känguru meine Zähne. »Siehst du das? Ich hab da irgendwie noch so Hähnchen zwischen den Zähnen hängen. Echt fies.«

Das Känguru schüttelt den Kopf.

»'tschuldige«, sage ich noch mal und schüttle mich kurz, um meine Unachtsamkeit loszuwerden. »Was hast du gesagt?«, frage ich. »Sag's noch mal.«

»Ach, egal«, sagt das Känguru. »Nützt ja doch nichts ...«

KÄNGURU

»Unser neuer Nachbar ist mir heute auf der Straße begegnet«, sagt das Känguru, als ich von der Toilette wiederkomme. »Ich habe ihm zugenickt, aber der olle Pinguin hat mich nicht zurückgegrüßt.«

»Vielleicht hat er dich nur nicht bemerkt«, sage ich und lasse mich wieder auf die Couch fallen. Das Känguru fläzt sich immer noch mit dem Kopf nach unten im Sessel und zieht an seiner Wasserpfeife. Eine wirklich zirkusreife Nummer.

»Wie auch immer«, sagt es. »Der Kerl ist mir jedenfalls suspekt. Höchst suspekt.«

Endlich drückt es wieder auf Play. Das Känguru hat tatsächlich einen Scart-Anschluss an den RFT Colorlux rangelötet. Das Bild steht allerdings auf dem Kopf, doch man gewöhnt sich ja an alles. Ich greife nach der Chips-Tüte.

»Haste das gesehen?«, fragt das Känguru und deutet auf den Fernseher. »Das ist der klassische Bud-Spencer-Move. Einfach von oben mit der Faust auf den Kopp. Direkt auf die Zwölf.«

»Der sogenannte ›Spencer'sche Hau-den-Lukas‹«, sage ich.

»Da steht keiner mehr auf«, sagt das Känguru und macht dabei Schattenboxen. »Auch dein Terence Hill nicht.«

»Ja, aber Terence Hill würde da blitzschnell ausweichen und sich dann was schnappen, zum Beispiel einen Stuhl ...«, sage ich.

»Einen Stuhl?«, lacht das Känguru und dreht sich blitzschnell im Sessel um. »Wenn du 'nen Stuhl auf Bud Spencers Rücken krachen lässt, das merkt der doch nicht mal.«

»Na wenn Terence Hill ausholt, dann merkt der das schon«, sage ich. »Da kannste von ausgehen.«

Plötzlich stoppt das Känguru den Film.

»Was ist denn jetzt?«, frage ich.

Das Känguru blickt mich ganz philosophisch an.

»Ich versteh es einfach nicht«, sagt es.

»Was denn?«

»Alles«, sagt das Känguru. »Alle. Die Leute!«

Ich nicke.

»Leute sind des Letzte«, sage ich.

»Wie sie vor sich hin leben. Tickititicktick. Ich weiß, wenn man in deren Haut steckt oder auch wenn man ganz nah rangeht und sie beobachtet, scheint das alles einen Sinn zu geben, was sie da so wursteln, aber wenn man nur einen Schritt zurück macht, ist das doch alles sehr rätselhaft ...«, sagt das Känguru.

»Tickititicktick«, sage ich.

»Jetzt lebe ich schon so lange unter euch, aber ich verstehe immer noch nicht ansatzweise, warum die Leute tun, was sie tun.«

Ich habe derweil in jede Hand ein Jo-Jo genommen und versuche beidhändig zu spielen.

»Es ist mir alles ein Rätsel ...«, wiederholt das Känguru gedankenverloren.

»Ich hab gehört«, sage ich und kann nicht verhindern, dass sich meine Jo-Jos verheddern, »dass James Cook, der 1770 als erster Europäer ein Känguru zu Gesicht bekam, einen Aborigine gefragt haben soll: ›Was ist das für ein Tier?‹ – auf Englisch natürlich –, und der Aborigine antwortete ›Känguru‹, weil er Cook nicht verstand und ›Känguru‹ in seiner Sprache nun einmal ›Ich verstehe euch nicht‹ bedeutet.«

Das Känguru hat mir aufmerksam zugehört.

»Ich verstehe euch nicht«, murmelt es. »Und das stimmt?«

»Hab ich gelesen«, sage ich schulterzuckend. Das Känguru öffnet das Küchenfenster und ruft den Leuten auf der Straße zu: »Känguru!«

»Känguru!«, schreie ich mit.

Wir rennen durch die Wohnung und schreien: »Känguru! Känguru!« Wir springen auf dem Bett herum und schreien: »Känguru! Känguru!« Das Känguru öffnet alle Fenster und schreit jedes Mal: »Känguru!« Die Leute draußen verstehen uns nicht, aber das beruht ja auf Gegenseitigkeit. Wir hüpfen auf dem Balkon herum und schreien immer noch: »KÄNGURU!«

Schließlich sinken wir erschöpft zu Boden und gucken unbestimmt in den Himmel. Es entsteht ein seltsames Schweigen.

»Ich hab den Pinguin übrigens im Treppenhaus getroffen«, sage ich irgendwann. »Er hat mir seine Karte gegeben.«

Ich ziehe die Visitenkarte aus meiner Hosentasche und reiche sie dem Känguru.

J. Moriarty

Ihr freundlicher cofrost* Vertreter

Lange starrt das Känguru auf die Karte. »Irgendwas ist verdammt fischig an diesem falschen Vogel«, sagt es schließlich. Seine Augen verengen sich wieder zu Schlitzen. »Und ich werde herausfinden, was!«

»Aber zuerst kucken wir ›Zwei Asse trumpfen auf‹ fertig«, sage ich.

TAUSEND DANK AN: DANIEL, KOLJA, MAIK,
MARIA, ROMAN, SEBASTIAN, SVEN, THOMAS,
BUD SPENCER UND TERENCE HILL.

»Ganz fetziges Ende eigentlich«, sagt das Känguru.

»Ja«, sage ich. »Ja! Ein guter Schluss wär's gewesen, aber du musst ja immer noch deinen Senf dazugeben, musst immer das letzte Wort haben.«

»Muss ich gar nicht.«

Das Känguru kehrt zurück.

In der unvermeidlichen
Fortsetzung:

DAS KÄNGURU-
MANIFEST

iNHALT